그들이 잃어버린 것

그들이 잃어버린 것

김소영

김민주

박선자

희재

이서연

박제현

문기훈

글Ego

'당신이 잃어버린 것은 무엇인가요?'

삶과 사랑이 아름다운 이유는 모두 사라지기 때문이라고 합니다. 우리는 결국 사라지게 될 모든 것들을 사랑하고 아낍니다. 별거 아니라고 여기다가도, 사라짐을 깨달으면 왠지 더욱 소중하게 느껴 지기 마련이죠. 살다 보면, 많은 것들이 사라지는 것 같습니다. 변하고, 사라지고, 그저 지나가 버리기도 합니다. 우리가 잃어버린 것은 우리가 소중하게 여긴 것들입니다. 찾고 싶고, 그리운 것들이죠. 그렇게 삶을 지켜 내기 위해 고군분투합니다. 잃어버린 것들을 추억하고 기억하기, 다시 찾기, 도전하기, 그리고 극복하는 방법을 동원합니다. 잃어버린 것은 그 자체로 끝이 아니라고 믿고 싶습니다. 우리가 책을 쓴 것도 그런 이유입니다. 각자의 소망을 잃지 않고 결국 펼쳤습니다.

우리가 실은 이야기 가운데에는 색을 잃기도 하고, 가족에 대한 신의를 잃고, 낭만을 잃고, 사랑을 잃기도 하고, 집중력을 잃으며, 도전을 잃고, 터전을 잃는 이야기 등이 실려 있습니다. 짠 것도 아닌데 거짓말처럼 공통점이 있었답니다. 각자의 이야기에 상실이 담겨 있는 것입니다. 의미하는 바는 모두 다르겠지만 맞닿는 지점은 비슷합니다. 간직하고 싶어하는 것. 상실을 슬퍼하는 것. 소중함을 깨닫게 되는 과정입니다. 이 모든 건 우리가 삶을 사랑하려 애쓰는 방법입니다.

글을 쓰다 보면, 나를 직면하게 되고 다른 사람을 이해하게 됩니다. 세상과 삶에 대해 고찰하면서, 궁극적으로 삶을 조금 더 아낄 수 있게 해주는 일 같습니다. 사실 쉽지 만은 않았습니다. 각자 시간의 틈을 쪼개 글을 써야했거든요. 창작의 과정이 참 어렵기도 했답니다. 하지만 부족한 글일지라도, 숨겨둔 열망을 잃지 않고 쓰는 과정이 정말 소중했습니다. 누군가 우리의 책을 보고 마음에 작은 파동이라도 일었다면, 내가 잃어버린 것에 대해 생각하게 된다면, 성공한 게 아닐까요?

결국 사라지는 것들을 사랑하게 된다는 건, 우리가 지구에 나타났다가 사라지는 인간이라는 건. 사랑의 본질을 이해하기 위해서가 아닐까. 생각해봅니다.

- 공동저자 中 김소영

차 례

엔딩 크레딧

김소영

김소영   추운 겨울을 싫어하지만 겨울에 만드는 따뜻한 추억들을 사랑한다. 창
밖을 볼 여유가 생기면 상상을 시작하거나 소중한 추억을 곱씹는다.
그건 현실을 잠시 피하려는 도피성과, 삶을 사랑하려고 직면하는 용기
가 혼재한다. 모순적인 사람이다. 그래서 인간과 삶의 모든 이야기들
에 관심이 많다. 잃은 것에 대해 아쉬워하고 슬퍼 할 줄 알고, 도망치
는 것에 다시 직면하고, 사랑하게 되면 주저하지 않고 사랑한다는 것
을 알면서 살아가는 일. 시간이 조금 걸릴 지라도 천천히, 조금씩 그런
일을 하려고 한다.

꼬인 매듭은 좀처럼 풀리지를 않고 버릇처럼 반복된다. 우리 할머니가 뜨개질을 하다가 실이 엉키면 항상 하시던 말이었다. 하얀 모래사장에 털썩 앉았다. 흰 거품이 이는 매서운 파도를 그저 쳐다보고 있었다. 고개를 숙이며 엉킨 매듭이 그대로인 하얀 운동화 끈을 바라보았다. 우리는 분명 같이 여행을 떠나왔지만, 그 애는 이 여정에서 잠시 빠지고 싶어했다. 아침에 일어나 숙소 탁자에 놓인 포스트잇을 발견했다. 반듯한 글씨로 꾹꾹 눌러쓰다 생각이 많았는지 마지막엔 살짝 흘린 글씨로 노란색 종이를 채웠다.

'오늘은 혼자 가고 싶은 곳이 있어. 따로 여행하는 게 좋을 듯' - 동윤

언제 온다 던지, 이따 보자는 말도 없이 불확실하게 떠났다. 그 애는 좀처럼 가까워졌다가 종잡을 수 없이 멀어지기를 반복했다. 나는 어쩔 줄 모르고 언제나 그랬듯이 그저 그 자리에 서 있을 뿐이었다. 텅 빈 듯한 겨울 바다의 바람이 시리고 아렸다.

한달 전에 동윤과 오랜만에 마주했었다. 우리는 종종 안부를 묻거나 생일에 연락하곤 했지만 날이 갈수록 직접 마주하기는 어려워지는 어른이 되어갔다. 동윤은 그동안 광고회사에 인턴으로 취업하고 숨가쁜 나날을 보냈다고 들었다. 이제는 계약기간이 끝나서 다른 회사를 알아보고 있는 상황이었다. 나는 기간제 교사로 일한 자리가 끝이 났고, 이직을 준비하며 쉬고 있었다. 경의선 숲길을 사이에 두고 서로 반대편에서 걸어왔다. 오랜만에 만나 왠지 어색하고 부끄러웠다. 애써 티 내지 않으려고 활짝 웃으며 손을 크게 흔들었다. 동윤은 처음엔 좀 어색한지 경직된 미소를 짓다가 내게 여전하다고 이야기했다. 우리는 경의선 기찻길을 따라 걷다가 눈 앞에 보이는 카페에 그냥 들어갔다. 아기자기하고 따스한 우드 톤의 카페 창가에 앉아 이야기를 시작했다. 처음엔 경직되었지만 시간이 갈수록 조금씩 웃다가 소리를 내며 크게 웃기도 했다. 그동안 어떻게 지냈는지 안부를 물었다. 그러고보니 둘다 백수니까 백수모임인가? 하고 웃었고, 예전과 달리 늙었다 느니 누가 더 늙었는지 내기하며 서로를 놀렸다.

"우리 분명 열 여섯에 만났는데 벌써 곧 서른이야~"

유명한 연애프로그램의 대사를 능글맞게 따라하니까 가만히 있던 동윤이 '픕'하며 터지기도 했다. 전에 만나던 사람이랑은 잘 되가냐는 말에 나는 고개를 저었다. 동윤은 그래 네가 아까웠다며 덤덤한 위로를 건넸다. 쉴 때는 뭐하냐고 묻는 그 애에게 짧게 개인적인 칼럼만 쓸 뿐이라고 말했다. 맞다. 너 글 썼지. 동윤은 잠시 학창시절의 나를 떠올리는 듯 커피잔을 만지작거리다가 고개를 끄덕였다.

"아직도 글 쓰는구나"

'글'이라 할 것도 없는데 짚어주는 그 말이 왠지 부끄럽게 느껴졌다. 물론 나는 잊을 리가 없겠지만 동윤도 우리의 학창시절을 기억하고 있을지도 모른다는 생각에 마음이 이상했다.

오랜만이어서 그런 걸까. 조금은 선이 굵어지고 젖 살이 빠진 그 애의 얼굴을 보면서 여전히 반갑고 즐겁다고 생각했다. 얘기를 할 때 상대를 쳐다보는 맑고 동그란 눈도, 웃을 때 시원하게 올라가는 입꼬리도 그대로였다. 대화하다 보니 카페 창 밖에 노을 빛이 드리우기 시작했다. 아쉬웠다.

"너랑 말이 잘 통해. 짜증나"

동윤은 말없이 웃더니 창밖의 풍경을 보았다. 그렇게 시간이 참 빨리 간다고 했다. 연말이었다.

/ 처음 친해진 건 고등학교 때였다. 동윤과 나는 같은 연극영화동아리에서 만났다. 동아리 첫 시간에 그 애와 함께 앉았다. 중학교 친구 덕분에 몇 번 같이 밥을 먹어본 적이 있어서 익숙하다는 핑계였지만 사실은 친해지고 싶다는 마음이 제일 먼저였다. 동윤의 귀에 낀 이어폰 줄을 빼내고 어깨를 툭툭 쳤다. 동윤은 놀라서 동그래진 눈으로 날 쳐다보았다. 이내 너도 여기에 왔냐며 활짝 웃었다. 이를 보이며 씨익 호선을 그리며 올라가는 입꼬리가 예뻤다. 나는 호기롭게 다가갔다가 그저 손을 들고 '안녕' 인사할 뿐이었다.

동윤을 볼 때마다 계속 말을 걸었다. 좋아하는 영화가 무엇인지, 내게 추천해 줄 노래나 책이 있는지. 언젠가부터 동윤은 내가 물어보지 않아도 알려주거나, 내가 보고 있는 책을 가져가기도 했다. 함께 이야기하다 보면 좋아하는 것도 취향도 비슷해서 말이 끊이지 않았었다. 사실 나는 이야기가 좋아 작가가 되고 싶었고, 동윤은 배우와 감독의 꿈을 꾸기도 했다. 선배들이 팀을 나누고 공모전을 위해 단편 영화를 만들자고 했을 때 나는 언젠가부터 동윤과 한세트로 여겨졌다. 그때부터 열심히 하지 않던 동아리 활동에 누구보다 열의를 다했다. 수업이 끝나면 바로 교실 밖으로 달려가 복도에서 만나 주제를 고민했다. 아무도 없는 빈 동아리실에서 책상 하나를 두고 마주 앉아 이야기했다. 노트에 쓰고, 지우고 다시 쓰고 얼마나 반복했을까. 내가 하품을 하니 웃으며 내 머리를 볼펜으로 툭 쳤다. 머리를 부여잡고 째려보면 또 볼을 툭 건드렸다. 정신차리라고 이를 보이면서 활짝 웃었는데, 나는 그 웃음이 좋았다. 고민한 시놉시스로 빽빽해진 노트를 보니 뿌듯했다. 우리가 환상의 호흡이라고 말하면 동윤은 고개를 끄덕이며 말했다.

"너랑 말이 너무 잘 통해서 짜증나."

말이 잘 통한다는 투정 섞인 그 말이 나만 잘 통한다고 생각한 건 아닌 것 같아 오래도록 남았다.

우리가 만든 영화는 대회에 출품하지 못하고 학교내에서만 상영되었다. 나는 종종 어디 있는지 찾다가 항상 찾지 못해 절망했다. 그 영화에서는 동윤이 배우로 나왔다. 이제는 그 영상을 찾을 수가 없다. 이렇게 함께 꿈을 꾸던 시절이 있었는데 그 애는 기억하고 있을까.

동윤은 산책을 좋아했다. 주말에도 도서관에서 마주치면 같이 밥을 먹고 산책하고, 주변에 있는 학교 운동장을 돌았다. 바람이 선선하게 부는데 별은 무수히 빛나고 있었다. 공부는 차치하고서라도 함께 걷고 이야기하는 게 즐거웠다. 운동장 트랙을 돌며 뭐가 그렇게 즐거운지 둘 다 계속 웃었다. 나는 동윤의 귀를 잡아당기며 유치하게 장난쳤었다. 그러면 아프다고 인상을 팍 찌푸렸다가 어이없어 웃는 표정이 압권이었다. 그럴 때마다 동윤은 내 두 손을 한 손으로 잡아버려 제압했다. 트랙을 돌며 질질 끌려 다니다 보면 놓아주기에, 다시 장난을 반복했다. 벤치에 한번 앉으면 다시 일어나지 못했다. 계속 대화해도 전혀 지루하지 않았다. 우리는 학년이 올라가면서 꿈과 현실 사이의 경계에 있었다. 현실에 타협하면서도 꿈을 간직하고 싶어하는 순수함을 가지고 있었다. 감독이 되고 싶다고 말하면서 반짝이는 그 눈을 유심히 바라보다가 물었다.

　"꿈은 이룰 때보다 꿈을 꿀 때가 더 행복하다던데, 지금이 제일 행복한 순간일까?"

　"이루면 어떨지는 모르겠다. 글쎄? 지금이 제일 아름다운 순간일 수는 있겠다."

　동윤은 '순간'을 말하면서 내 머리 위에 손을 올렸다. 나는 그 손길과 눈을 피하지 않았다. 이 순간을 오래도록 기억하고 싶었다.

　"나중에 나 모르는 척하면 안된다?"

　"너나 대학교 가고 신나서 모르는 척하지 말고, 아 보름달에 소원이나 빌어야지."

내 얼굴을 가리키고 소원을 비는 시늉을 했다. 동윤의 귀를 다시 잡아당겼다. 귀를 잡고 아프다면서도 해사하게 웃고 있는 모습이 꽤 귀여웠다. 이번엔 진짜 소원을 빌 거라며 동윤이 하늘을 바라봤다. 나도 옆에서 같이 손을 모으고 소원을 빌었다. 나보다 눈을 늦게 뜬 동윤의 소원이 궁금해서 무슨 소원을 빌었는 지 물어봤다.

"말하면 안 이루어지잖아. 비밀이야. 너는?"

"사랑이 이루어지라고."

"뭐야, 네가 사랑을 알기는 해?"

"글쎄, 같이 있을 때 즐거운 거 아닐까. 넌 알아?"

내 말에 동윤은 나를 쳐다보다가 헛기침을 하며 피했다. 네가 사랑을 아냐며 발끈하는 게 웃겼다. 그 시절 우리가 사랑을 알고 있었을까 궁금해진다. 그 즈음 동윤과 있을 때는 살면서 느껴본 적 없던 무제의 감정을 앓고 있었고, 어렴풋이 그게 사랑일지도 모른다고 짐작했다. 나는 여전히 그 때의 밤공기와 빛나는 별과 웃음이 기억난다. 그 날 동윤도 날 좋아했으면 좋겠다고, 우리가 모두 꿈을 이뤘으면 좋겠다고 빌었다. 그리고 동윤의 소원에 내가 있기를, 언젠가는 이 마음을 전할 수 있기를 바랐다.

/ 연말에 만난 이후로도 동윤과 자주 만났다. 쉬고 있는데 만날 사람이 동윤밖에 없다는 핑계였다. 새해에는 봄비는 종로에서 만났다. 약속보다 10분 늦게 도착한지라 뛰면서 지하철 계단을 올랐다. 목도리로 얼굴을 두른 동윤과 눈이 마주쳤다. 내가 미안하다고 사과하자

머리를 툭 만졌다. 그리고 괜찮다며 가방에서 무언가를 꺼냈다. 팔을 쭉 뻗어 엽서 두 장을 자랑스레 내민다. 초록 나무가 우거진 풍경 속에 노부부가 벤치에 나란히 앉은 사진이었다. 그동안 소품가게에서 엽서를 구경하다 사온 것이다. 우리는 가까이 있는 이자카야에 가서 서로의 새해 다짐을 이야기하기 시작했다. '자전거 사기, 좋은 곳 이직하기, 잘 버텨 내기, 좋은 사람 만나기' 등등 ..

"그래서 너가 이루거나 제일 하고 싶은 게 뭐야. 이거 쓰려고 펜까지 샀어"

나도 모르게 웃음이 터져 나왔다. 갑자기 엽서에 새해 다짐을 쓰자니 동윤답다고 생각했다. 어느새 나도 금방 몰입해서 서로가 서로에게 써주자고 제안했다. 어두운 조명 빛이 드는 구석에서 맥주와 오코노미야끼를 그대로 둔 채였다. 둘이서 고개를 숙이고 열심히 적기 시작했다. 나는 엽서가 퍽 마음에 들었다. 동윤이 반듯한 글씨로 번호를 매겨 써주고, 자신의 얼굴을 캐리커처로 그린 모습이 담겼다. 이내 또다시 가방을 뒤지던 동윤은 엽서 보다는 큰 종이를 꺼냈다. '콜미바이유어네임' 이라는 외국영화의 포스터였다. 가게에 있었는데 좋아할 것 같아 사왔다며 준 것이다. 포스터를 받고서 주인공인 티모시 샬라메의 얼굴을 계속 문질렀다. 동윤은 그렇게 좋냐고 물어보면서 턱을 괴고 신기한 듯 나를 쳐다보았다.

"당연한 거 아니야? 나 이거 좋아하는 거 어떻게 알았어?"

"너 예전 프로필 뮤직이 그 영화 OST였잖아"

다음엔 엽서가게에 같이 가보자는 동윤의 제안에 나는 고개를 살짝 옆으로 돌려 의심스럽다는 듯이 눈을 흘겼다. 그리고 바로 웃으면서 엄지를 들어 보였다. 참 드물게 즐거운 새해라고 생각했다.

/ 그 겨울, 수능도 끝나고 학창시절이 끝을 향해 달려가는 겨울이었다. 나는 점점 돌아오지 않을 계절이라는 걸 직감했다. 동윤도 미묘한 감정을 느꼈던걸까. 그 겨울엔 특히 학교에서 자꾸 마주치고, 집에 가서도 연락하는 일이 많았다. 오래 전에 동윤을 좋아하면서도 고백하지 못한 이유는 하나였다. 나와는 마음이 다를 까봐. 숨겨둔 마음을 드러낸 다음은 어떻게 되지? 보지 못할 수도 있다는 상상에 항상 뒷걸음질쳤다. 마음도 접으려 여러 번 노력했건만, 눈 앞에서 보면 그 다짐은 눈 녹듯 사라져 버렸다. 하지만 시간이 유한하다는 걸 느껴서일까, 자꾸만 용기를 내고 싶어졌다.

졸업이 얼마 남지 않았던 주말, 같이 밥을 먹고 서점에 놀러갔다. 졸업 기념으로 서로에게 책을 선물해주자면서 열심히 찾기 시작했다. 모퉁이에서 내가 좋아했던 드라마 작가의 대사모음집을 발견했다. 페이지를 넘기다가 짝사랑에 관한 한 대사를 발견했다. 순간 책을 넘기던 손이 멈췄다.

'짝사랑은 없어. 진심으로 좋아하면 상대는 그 마음을 알아'

과연 동윤은 내 마음을 알고 있을까. 나는 뭐에 홀렸는지 그 책을 들고 그대로 동윤에게 갔다. 긴 짝사랑의 감정을 마무리하고 싶었던건지, 동윤의 마음을 알고 싶었던건지 여전히 헷갈린다.

"저번에 내가 오랫동안 좋아한 사람이 있다고 했었잖아. 기억나?"

"기억나지. 갑자기 왜? 알려달라 했는데 끝까지 안 알려줬잖아. 그 사람도 모를 거라고."

"이 글 봐 봐. 마음이라는 게 진심이라면 정말 이미 알고 있을까? 마음을 준 사람이 있으면 받는 사람이 있는 거 잖아"

"그런가? 그걸 왜 물어 봐. 많이 좋아했나 봐?"

시큰둥해 하면서도 신경 쓰이는 듯 인상을 썼다. 다시 책에 써져 있는 문장을 살펴보는 동윤이었다. 나는 반응을 살펴보다가 떨리는 손을 부여잡고 심호흡을 한번 했다.

"응, 그 사람이 너였는데 혹시 알고 있었나 해서, 내가 계속 좋아해 왔어. 그냥 이제는 괜찮아져서 말하는 거야, 졸업하기 전에 한번은 말하고 싶기도 했었고."

대답이 없었다. 놀랐는 지 커진 동그란 눈만 보였다. 왠지 눈물이 왈칵 쏟아질 것 같아 고개를 돌렸다. 괜히 말했나, 앞으로 얼굴을 어떻게 보지. 그래도 괜찮지 않을까? 별 생각을 다 했다. 발걸음을 옮기려는 순간, 동윤이 내 손을 잡았다. 갑자기 아무렇지 않게 던지면 어쩌냐며 떨리는 목소리였다. 나는 차마 얼굴은 보지 못한 채 고개를 푹 숙였다. 주저하던 동윤이 입을 열었다.

"맞는 것 같아, 짝사랑은 없다. 진심으로 좋아하면 상대는 그 마음을 안다. 이 말'"

"알고 있었어?"

"아니, 그건 몰랐는데 나도 너 좋아했거든. 고등학교 3년 내내"

이번엔 내가 아무 말도 못하고 놀라는 차례였다. 용기내서 쳐다봤는데 한껏 상기되어 있는 볼이 보였다. 나는 거짓말 말라고 했고, 동윤은 억울하다며 둑이 터진 듯 마음을 이야기하기 시작했다.

"네가 뭘 알아. 맨날 너 보려고 괜히 너네 반 가고, 독서실 가고, 네가 귀 잡아당기는 것도 좋았고, 네가 볼 찌르고 간 날은 설레서 잠도 못 잤어. 너랑 얘기하고 산책한 것도 다 좋았고, 나한테 말 걸고 연락할 때마다 얼마나 설렜는데, 나는 다... 그냥 네가 전부였어"

숨차게 뱉은 진심에 나는 그대로 굳어버렸고, 동윤은 머쓱했는지 머리를 긁었다. 눈시울이 약간 붉어져 있던 건 착각이 아닐 테다. 나역시 울컥 올라오는 뜨거움에 어쩔 줄 몰랐으니까. 사람의 마음이 서로 통하는 것만큼 기적인 게 있을까? 오랜 시간 서로 티 내지 않아서 몰랐던 게 야속했지만 그 때 만큼은 기적을 경험했다고 생각한다.

나만 동윤과 잘 맞는다고 생각한 게 아니었던 것처럼 나만 동윤을 좋아한 것도 아니었다. 하지만 서로의 마음을 확인하고 친구가 아닌 다른 국면에 접어들었던 순간, 언젠가부터 동윤은 친구로 돌아가자며 발을 빼고 싶어했다. 그러고는 한동안 이해할 수 없이 계속 밀어내서 친구조차 할 수 없었다. 나는 어찌할 바를 모르고 내내 서성이며 방황하다 포기했고, 몇 년의 시간이 흐르고 나서야 아무 일 없었다는 듯이 친구가 될 수 있었다. 이제는 슬퍼하지 않지만 나는 여전히 그의 마음을 알지 못한다.

/ 또 다른 겨울이 지나 가고 있었다. 평소와 달리 동윤이 연락하고 찾아오는 빈도가 잦아졌다. 같이 대화하며 계속 걷고, 모르는 길로 또

걸었다. 그러다 너무 추워지면 동윤집에서, 혹은 우리집에 들어가 맥주를 마시고 영화를 보기도 했다. 언젠가부터 매일 같이 연락하면서 저녁에는 심심하다며 꼭 전화했다. 유행하는 드라마의 대사를 성대모사 하며 같이 깔깔 대고 웃었다. 대개 동윤이 먼저 시작하면 나도 지기 싫어 기를 쓰고 대적하는 식이었다. 그렇게 소파에 앉아있다가, 침대에 누워서까지 전화하면 시간은 훌쩍 흘러 깊은 새벽이었다.

나는 추운 겨울을 무척 싫어한다. 그런데 동윤과 함께하는 시간이 많아질수록 이 겨울이 싫지 않았다. 따스한 편안함과 즐거움으로 가득 차 있었다. 그런데 동시에 보이지 않는 발끝에서부터 알 수 없는 먹구름이 드러났다. 어둑한 모양이 서서히 올라왔다. 동윤이 한동안 나를 밀어내서 결국 멀어졌던 이후로 시간이 너무나 많이 흘렀다. 이제 미묘한 감정은 다 사라졌다고 여긴 것이다. 그런데 지금, 이렇게 눈이 마주치기만 해도 웃고 마음이 붕 뜬다는 건, 그저 잘 맞는 친구의 호흡인걸까. 아니면 다시금 설레는 마음인걸까. 너무 많이 가까워졌다고 생각했지만, 그게 싫지 않았다. 오히려 일상이 갑자기 즐거워져 고민이었다. 그리고 동윤의 생각도 나와 같을까 궁금했다.

그 날은 동윤의 생일이었다. 생일로 넘어가는 자정에 케이크를 들고 그의 집으로 향했다. 초인종을 누르자 경계하는 듯 누구세요? 라고 묻는 목소리가 들려왔다. 곧이어 조심스럽게 문이 열렸다. 문 뒤에 숨어있다가 짠! 하고 케이크를 내밀었다. 놀랐는지 가슴에 손을 올려 둔 동윤은 이내 활짝 웃었다. 나는 생일축하 노래를 불렀고, 동윤은 박수치며 초를 불었다. 거실의 하얀 테이블 위에 케이크를 올려 두고, 나란히 앉아 소파에 등을 기댔다. 동윤이 노래를 틀고 맥주를 꺼냈다. 기분 좋은 듯 어색한 분위기가 감돌았다. 케이크를 먹으며 나를 보는 게 느껴져 왠지 숨고 싶었다.

"내가 갑자기 와서 어땠어?"

"제일 좋았어"

"다행이다, 너가 좋다고 해서."

"진짜 올해 중 최고로 행복한 생일이야. 고마워."

"올해 생일은 한 번 뿐 이잖아."

"그러니까"

장난치는 동윤의 팔을 살짝 꼬집었다. 아파하며 팔을 손으로 비비더니 내 귀 옆에 얼굴을 가까이 댔다. 다시 고맙다고 속삭였다. 간지러웠다. 나는 두 다리를 모아 팔로 감싸고 얼굴을 기댔다. 이제 집에 가야겠다고 했다. 냉장고에서 맥주 캔을 하나 더 꺼내 온 동윤이 뚜껑을 따며 말했다.

"늦었는데 뭘 가, 그냥 자고 가지."

"궁금한 게 있어, 너 그냥 아무 친구나 자고 가라고 하기도 해?"

태연한 동윤의 말에 나는 조금 놀라 물었다. 아니, 그건 아닌데. 고개를 젓고 담담하게 대답한 동윤은 고민하는 듯 눈썹을 쓸었다.

"너랑 있는 거 좋아. 좋은 사람이랑 있으니 계속 있을 수 있지"

그 말을 하는 동윤은 조금 취했는지 얼굴이 붉어져 있었다. 왠지 모르게 나 역시 취하는 기분이었다. 손가락부터 가슴까지 저려오는 느낌에 괜시리 입술만 꾹꾹 깨물었다. 이내 나도 너랑 있는 게 너무 즐겁

다고 이야기했다. 이상했다. 이러다가 돌이킬 수 없는 마음의 경계에
도착할 것 같았다. 문득, 우리가 서로 좋아했던 시절은 진짜였는지,
그리고 그 땐 왜 밀어내야만 했는지 궁금했다. 용기를 내 그동안 물어
보지 못했던 이야기를 꺼냈다. 짚고 넘어가서 동윤과 더 잘 지내고 싶
었다. 그리고 지금 안에서 울렁거리는 무언의 감정이 참 익숙하고도
생소해서 확인하고 싶었다.

"궁금한 게 있어. 스무 살 겨울에 말이야. 그 때 왜 그렇게 밀어냈던
거야?"

갑작스러운 내 물음에 동윤이 맥주 캔을 흔들다가 멈췄다. 왜 갑자
기 이런 걸 묻는 거냐며 머리를 긁적였다. 흔들리는 그 눈을 똑바로 쳐
다봤다. 동윤은 한동안 우물쭈물하더니 이내 똑바로 마주했다. 이걸
이제야 얘기하게 된다며 결심한 듯 이야기를 시작했다.

"내가 오랫동안 좋아한 사람이랑 잘 되는 게 처음이었는데 막상 이
루어지니까 이상했어. 그게 맞나 싶기도 했고, 그 전만큼의 마음이 아
닌 것처럼 느껴졌어. 나중에 후회하기도 했지만 만약 계속 만났다면
상처 줬을 거야. 그리고 그 때는 내가 정말… 정말 어렸어."

"와, 나는 네가 이유도 말 안해주고 무작정 밀어내서 많이 힘들었는
데... 그랬구나. 그 땐 나도 많이 어려서 그런 감정이 처음이라 감당하
기 어려웠던 것 같아. 사실 우리 관계가 정말 끝난 줄 알았었거든, 근
데 지나고 보니까 그건 또 아니었더라?"

묵혀 둔 감정이 꺼내졌다. 조금 어색하면서도 후련했다. 오래 묵혀
온 게 억울할 정도로 대단한 이유는 없었다. 동윤의 마음은 그랬던 것

이다. 각자 마음의 정도가 달라서 그의 행동과 마음을 이해하기 어려웠을 뿐. 내가 후련하냐고 물으니 동윤은 작게 웃으며 마음이 이상하다고, 내 눈을 쳐다보지 못하겠다고 했다. 그러면서 힘들었다면 미안하다고 사과했다. 동윤이 이야기를 이어갔다. 시선은 나를 향해 있었다.

"우리가 요즘 부쩍 가까워졌다고 생각은 했어. 자주 만났잖아."

"그치, 사실은 너랑 있는 게 너무 즐겁길래 멀어지려고도 해봤어. 근데 아무리 생각해도 멀어지고 싶지 않더라."

내 대답에 동윤은 무슨 말을… 하며 말을 줄였다. 내가 이상한 말을 했냐고 되묻자 멀어지기 싫었다니 예쁘게 말해서 그렇다고 했다. 여전히 끈질긴 시선이 느껴졌다. 애써 모르는 척했다. 다리에 얼굴을 묻었다. 내 머리를 쓰다듬는 동윤의 손길이 느껴졌다. 나지막한 목소리가 들려왔다.

"몰라, 나도 너 보고싶었어. 근데 우리는 친구인 시간이 오래되기도 했잖아. 이상해."

정적이 맴돌았다. 마주하고 싶으면서도 또다시 어긋날까 마주하기 싫은 진심이었다. 그 순간, 내게 알 수 없는 용기가 생겨 튀어나왔다. 피하던 시선을 똑바로 마주했다.

"여행 갈래?"

"너랑 나랑?"

"같이 여행가보면 이게 뭔지 알 수 있지 않을까? 우리 예전에 같이 여행한 적도 있잖아."

내가 먼저 여행을 가자고 말했다. 잠시 고민하던 동윤이 콜 하며 맥주 캔을 부딪혔다. 겨울이 지나가고 있었고, 우리는 함께 여행을 떠나기로 했다. 우리가 느끼고 있는 게 무엇인지 알고 싶었다. 과거도 현재도 아닌, 친구인지 아닌지 모를 감정의 순간 속에서 답을 찾으려 했다.

새벽이 지나가는데, 끊임없이 이야기했다. 한 조각 먹다 남은 케이크도 그대로였다. 고향으로 갈까? 아니, 그건 여행이 아니야. 아무도 모르는 곳으로 가자. 도망쳐보자. 이왕이면 끝이 좋지 않을까? 서울에서도 가장 먼 곳이 어디지? 제일 먼 곳? 좋아, 같이 도망가지 뭐.

고민하다가 결정한 곳은 부산이었다. 서울역에서 만나 부산행 Ktx을 타고 갔다. 동윤은 늦었다며 내 손목을 잡고 그대로 뛰었다. 다행히 시간이 남았는지 기차는 아직 출발하지 않았다. 작은 소음만 들리는 조용한 기차안에서 숨을 고르며 눈을 흘겼다. 동윤은 웃으며 어깨를 으쓱했다.

"기차 여행 진짜 오랜만이라 좋다"

내가 못 알아듣자 작게 하는 귓속말이 간지러웠다. 아는지 모르는지 신나서 웃는 모습을 지켜보다가 괜히 동윤이 끼고 있는 헤드셋을 툭툭 건드렸다. 노래 듣고 싶냐고 묻더니 헤드셋을 빼서 직접 내 귀에 씌워준다. 노이즈 캔슬링을 들어보고 싶다고 했다. 동윤은 헤드셋 양쪽을 붙잡고 버튼을 꾹꾹 누르며 내 반응을 살펴봤다. 잘 모르겠다고 고개를 저었는데, 다시 가까이 와서 고개를 숙이고 헤드셋 버튼을 누르길 반복했다. 동윤의 얼굴이 내 숨결 가까이 있었다. 나도 모르게 숨을 꾹 참았다. 바깥 소리가 사라지고 이내 음악 소리가 먹먹하게 들려왔다. 눈을 맞추고 이제 되었냐고 묻는 입모양에 말없이 고개를 끄덕였다. 아직도 가까이 있는 숨결 탓에 얼굴이 달아올랐다. 고개를 뒤로 빼고 괜시리 말을 돌렸다. 이 세상에서 노래만 들리는 게 영화 '라붐' 같다고 말했다.

"근데 너가 소피 마르소는 아니잖아."

"미안한데 조금은 들리거든?"

"다 들렸구나? 미안해. 아니, 안 미안해."

다시 눈을 흘기고 노래를 들으며 눈을 감았다. 동윤의 취향인 올드 팝이 흘러나오고, 기차가 터널을 지나며 조금 덜컹거리는 진동이 느껴졌다. 잠들었는지 그의 머리가 내 머리 위로 살짝 닿는 게 느껴졌다. 떨리는 마음을 모르는 척했다.

/ 그 겨울, 서점에서 좋아했다는 고백이 우리에게는 사실 좋아한다는 고백과 마찬가지였다. 동윤의 프로필 사진이 내가 준 책으로 바뀌었다. 마음을 알게 된 이후부터는 실타래가 풀린 것만 같았다. 졸업식 이후 혼자 여행을 떠나려는 내게 같이 가자고 제안한 건 동윤이었다. 당일치기로 함께 강릉을 다녀오기로 했다. 아침 새벽부터 만나 버스 맨 뒷 자리에 나란히 앉았는데, 갑자기 내 손을 살포시 잡더니 깍지를 꼈다. 화들짝 놀라서 쳐다보니 여느 때처럼 활짝 웃고 있었다. 동윤은 아무렇지 않아보였는데 정말 그랬을까. 미소를 머금고 있는 그 얼굴에서, 터질 듯이 빨간 귀가 유독 돋보였다. 나는 심장이 그렇게 빨리 뛴 적이 없었다. 손에 온 신경이 집중되어 저릿했다.

경포해변에 도착했다. 우리는 고운 모래 사장 위에 이름을 썼다. 동윤이 쭈뼛거리더니 안에 하트를 그려 넣었다. 잔잔히 쓸려오는 파도를 따라가고 도망치기를 반복했다. 내가 동윤을 밀어버리며 장난쳤을 때였다. 동윤이 갑자기 내 손을 꼭 잡고 끌고 갔다. 우리가 산책했을 때처럼, 두 손이 그대로 잡혀버린 나는 그저 멀뚱히 쳐다만 볼 뿐이었다. 동윤은 결심이 선 듯 입을 열었다.

"서희야, 나 너 좋아해! 항상 생각하고 매일 보고싶어 해"

"나도 너 정말 많이 좋아해. 너가 상상도 못할 만큼"

떨리는 지 손을 꼭 잡고 이야기하는 모습에 나도 모르게 웃음이 나왔다. 그러면서 동윤은 본인이 자리를 잡으면 정식으로 만나자고 고백한다고 했다. 나는 의아했지만 알겠다고 했다. 돌아가는 길에 동윤은 내게 사랑한다고 말했었다.

/ 부산역에 내려서 돼지국밥을 먹고 바다가 보이는 마을로 향했다. 흰여울 마을이라고 했던가. 계단을 따라 올라가니 쭉 이어진 통로마다 집이나 가게가 있었고, 앞으로는 드넓은 바다가 보였다. 마을 전체가 전망대 같다고 감탄했다. 동윤은 사진을 찍어주겠다며 투박한 카메라를 들었다. 집에서 묵혀 둔 카메라를 가져왔다고 했는데 이럴 때 쓸모가 있었다. 나는 신나서 벽에 몸을 기대고 포즈를 한껏 취했다. 잘 나왔냐고 물었는데, 동윤은 피식 웃더니 그저 다 잘 나왔다고 이야기할 뿐이었다. 나는 카메라를 뺏어 들었다. 동윤의 뒷모습을, 바다를 보고 있는 옆모습을 찍었다. 바다를 바라보던 동윤이 고개를 돌려 카

메라를 쳐다봤다. 렌즈를 넘어서 나를 쳐다보는 듯한 눈과 마주쳤다. 놀라서 그대로 셔터를 눌러버렸다.

마을 길의 경사가 높아지기 시작했다. 소품샵을 갔다가, 검색해 둔 독립서점을 애타게 찾았다. 동윤이 스마트폰에 지도를 띄워 둔 채 나를 끌고 가다시피 했다. 구불구불하게 이어진 작은 통로에는 사람들이 정말 많았다. 이리저리 치여서 동윤과 멀리 떨어질 뻔하기도 여러 번. 그 탓에 동윤은 수시로 뒤를 돌아 내가 어디 있는지 자꾸 확인했다. 잘 좀 따라오라며 타박하더니 코트 주머니를 잡으라 했다. 나는 동윤의 팔을 꼭 잡아 팔짱을 꼈다. 동윤은 가던 발걸음을 잠시 멈추더니 그대로 출발했다. 얼마쯤 걸어갔을까, 동윤은 팔을 뺐다. 그리고 더 이상 뒤도 돌아보지 않고 걸어갔다. 나는 골목에 서서 뒷모습을 바라봤다. 뭐지, 반갑지 않은 냉대가 느껴졌다. 갑작스러우면서도 익숙한 느낌. 어쩌지 못하고 그냥 동윤의 뒤를 따를 뿐이었다.

서점에는 '오늘 휴무'라는 간판이 걸려있었다. 무계획 여행에는 이런 애로사항이 있기 마련이다. 동윤은 망연자실해서 계단에 털썩 앉았다. 잘 풀리지 않아 예민해졌는지 인상을 쓰고 핸드폰을 보고 있었다. 나는 괜찮다며 다른 곳에 가자고 어깨를 토닥였다. 다행히 비슷한 분위기의 북카페가 주변에 있었다. 괜찮은 곳을 찾았다고 동윤을 일으키려 했다. 그 과정에서 동윤이 협조적이지 않아 힘을 세게 줄 수밖에 없었다. 일어나는 동윤이 발을 헛디며 그만, 목에 걸려있던 카메라가 시멘트 벽과 부딪혔다.

"아 뭐야, 기스났다."

동윤이 머리를 짜증스럽게 쓸었다. 카메라를 살펴보기에 괜찮냐고 물었지만 대답은 없었다. 울컥했다. 원하지 않는 상황으로 자꾸만 흘러갔다. 우리는 말없이 북카페로 향했다.

한쪽 벽에 책장이 높게 쌓여 있었다. 책이 모든 공간을 차지했고, 바다 쪽으로는 통유리창을 크게 냈다. 동윤과 별말없이 따로 책들을 구경했다. 반대편 책장에서 동윤이 책 하나를 꺼내왔다. 뭐냐는 듯이 눈짓하자 책을 한번 쓱 보더니 눈치를 살피며 물었다.

"이거 네가 좋아한 작가 책 아니야?"

"어..맞아, 어떻게 알았어?"

"너가 옛날에 몇 번 보여줬던 기억이 나서, 대사집도 보여줬었 잖아."

내가 좋아했던 작가의 이름을 기억하고 있다는 사실에 살짝 놀랐다. 그리고 내가 그 작가의 책을 보여줬다는 기억도. 어쩌면 잊고 살거나, 더 이상 중요하지 않아서 잊었겠다고 생각했다. 동윤이 가지고 있는 기억이 궁금해지기 시작했다. 다 잊어버린 게 아니었는지. 왜 내게 이 책을 건넸는지. 그러면서 왜 아무렇지 않은 표정으로 여행하고 있는건지.

해가 내려가고 날이 어두컴컴해졌다. 에어비앤비에 짐을 내려 두고 광안리로 향했다. 해변을 거닐며 산책했다. 어두워 잘 보이지 않는 모래사장에다가 이름을 쓰려고 했다. 낮에 쓰라고 궁시렁대던 동윤은 어디선가 긴 나뭇가지를 주웠다. 그리고는 내가 말하기도 전에 이름을 쓰기 시작했다. 모래에 나뭇가지가 긁히며 사각거리는 소리가 들렸다. 반듯한 글씨로 우리 이름이 함께 적혔다. 나는 지켜보다가 날짜도 함께 써 달라고 했다. 해변에서 사람들이 불꽃놀이를 하고 있었다. 멀리서 광안대교도 보였다. 폭죽이 터지며 형형색색의 불빛이 밤바다를 수놓았다. 나뭇가지를 옆에 던져둔 동윤이 내 이름을 불렀다. 서희야, 서희야. 서희야. 장난치던 동윤이 입을 열었다.

"너가 예전에 말했던 거 기억나? 꿈은 이뤄질 때보다 꿀 때가 가장 행복하다는 거"

"내가 그런 말을 했었나?"

"그 때는 잘 몰랐는데 이제는 알 것 같아. 꾸는 과정이 행복하다는 거. 막상 눈 앞에 닥쳐오거나 이뤄지면 그게 그만큼은 아닐 수 있잖아"

그렇게 말하는 동윤은 생각에 잠긴 듯 해변에 쓰여진 이름을 바라봤다. 검은 파도가 조금씩 밀려왔다. 글씨를 지울 듯 말 듯 앞에 있는 모래를 쓸어가기를 반복했다. 동윤의 고민과 마음에 대해 생각했다. 이상에 다다른 중요한 순간, 도망치고 싶은 마음에 대해서 나는 잘 알고 있다. 하지만 이제는 좀 다르게 생각한다고 이야기했다.

"이루는 순간 허무할 수는 있지만, 의미가 사라져 버리는 건 아니잖아. 그 이후에 꿈을 어떻게 지켜내느냐가 중요한 것 같아. 어쩌면 그게 제일 어렵고 대단한 거 아닐까? 그럼 그 때 진정한 행복을 느낄 수도 있겠지."

해변 한 가운데서는 정월대보름 행사로 달집태우기를 하고 있었다. 엮인 나뭇가지들에 불이 붙어 활활 타오고 있었다. 두 손을 모으고 눈을 감았다. 무슨 소원을 빌었던가. 내 소원에는 동윤이 있었다. 우리가 꿈을 꾸며 행복하게 살게 해 달라고, 우리가 오랫동안 함께 있을 수 있게 해 달라고, 그리고 동윤이 우리를 포기하지 않게 해 달라고. 나는 포기하지 않을 자신이 있었다.

/ 그 겨울, 동윤이 내게 사랑한다고 말했던 꿈 같은 날들이 얼마나 지났을까. 이해할 틈도 없이 동윤의 태도는 순식간에 변했었다. 우리가 했던 약속을 기억하지 못하는 날들이 늘어갔다.

"오늘 볼 수 있어?"

"나 오늘은 친구들이랑 풋살하는데?"

"그러면 밤에 같이 산책할까? 원래 오늘 호수공원 가기로 했었잖아."

"아.. 까먹었어. 애들이랑 끝나고 술 먹기로 했어."

연락을 조금씩 피하기 시작했고, 더 이상 만나려고 하지 않았다. 졸업해서 학교에서 만날 수도 없던 터라 나는 점점 답답했고, 계속 무엇을 하는 지 궁금해했다. 좀처럼 알려주질 않았기 때문이다. 처음엔 하루에도 수백통씩 나누던 연락이 하루 지나서 하나씩 답장이 오기 시작했다.

나는 수시로 동윤에게 좋아한다고 말했다. 그러면 답이 없던 동윤은 다른 이야기로 말을 돌렸다. 결국 왜 그러는 거냐고 물었다. 너 요즘 정말 이상하다고, 나랑 이야기하기 싫은거냐며 투정을 늘어뒀다. 두려웠지만 나는 동윤을 믿었다. 하지만 마음은 결국 알 수 없는 법이다. 동윤은 그동안 고민을 많이 했다며 이야기했다.

[생각해보니 나는 너랑 그 전으로 돌아가고 싶어. 아직은 내가 우리 사이를 책임지기 어려운 것 같아. 친구로 다시 돌아가자.]

이런 연락을 남기고 사라질 뿐이었다. 심장이 아래로, 끝없이 아래로 추락했다. 처음엔 받아들이지 못했다. 동윤의 마음을 잡으려고 했지만 그럴수록 멀어질 뿐이었다. 친구로 돌아가자는 그 말과도 다르게 결국 그 전으로도 돌아가지 못했다. 줄곧 동윤이 어떻게 지내는 지, 무슨 생각을 하며 사는 지 궁금했지만 묻지 않았다. 답장 없이 보내져 1 표시가 그대로인 연락이 여러 개였다.

그렇게 좋아했다면서 무작정 피해버리는 동윤이 그 때는 참 미웠다. 제대로 사랑해본 적 없는 게 서운한 것도 아니라 내 연락을 잘 받지 않아서도 아니었다. 그렇게 소중한 사람이, 그리고 날 소중하다고 말했던 사람이 이유도 제대로 말하지 않고 신기루처럼 증발해버린 게 견디기 어려웠다. 그래. 나는 그 사랑도, 사람도 잃은 게 그렇게 싫었다. 동윤은 어떻게 되든 괜찮았을까. 그래서 언제부턴가 아무렇지 않게 친구로 다가오는 동윤을 나는 막을 수 없었다. 사실은 속없이 반가운 마음을 가지기도 했다. 그래서 과거를 꺼내기가 어려웠던 거다. 모르는 척하고 지켜온 관계가 어그러질까 두려웠던가. 동윤은 별 노력 없이도 나를 조종할 수 있는 사람이었다. 나를 제일 높은 곳에 데려갔다가 가장 아래로 떨어트릴 수 있는 사람.

/ 바다 산책을 다 하고 광안리 횟집에서 회를 먹었다. 조금 취했는

지 눈이 조금 풀린 동윤이 예전에 내가 사귀었던 남자친구 이야기를 하고 있었다. 질투하는 건가 싶을 정도로 동윤은 내 전 애인들 이름을 계속 얘기했다. 틱틱 대며 놀리는 걸 듣고 있다가 궁금했던 걸 물어봤다.

"그러면 너 첫사랑은 누군데?"

"너."

동윤은 말해놓고 당황했는 지 입을 꾹 다물었지만 곧이어 다시 "너라고" 하며 담담하게 얘기했다. 오히려 내가 놀라서 딸꾹질을 했다. 동윤은 내 모습을 보고 웃다가 물을 건넸다. 나도 진정하고 첫사랑이 동윤이라고 이야기했다. 예상 못 한 건 동윤도 마찬가지였는지 젓가락질을 멈췄다. 학창시절에 언제부터 날 좋아했냐고 묻자 동윤은 잠시 고민했다.

"글쎄, 같이 있을 때 즐거우면 좋아하는 거 아닌가."

"솔직히 지금도 나랑 있으니까 즐겁지?"

"아닌데? 옛날엔 좋아서 미칠 것 같았는데?"

"짜증나, 그러면 그 때나 그렇게 말하지 그러셨어요."

"과거에 얽매이는 건 좋지 않아."

나도 취했나 보다. 평소엔 하지도 않던 질문들을 자꾸 했다. 동윤은 멈칫하며 이야기를 피했다.

숙소로 다시 돌아왔다. 카메라를 켰다. 동윤과 오늘 찍은 사진을 함께 봤다. 내 사진을 유심히 보기에, 예쁘냐고 장난치자 귀찮은 듯 고개를 젓는다. 나는 귀를 한번 잡아당기곤 앨범을 넘겼다. 예전부터 쓰던 카메라라 옛날 사진들도 더러 보였다. 한참을 넘겼을 무렵, 익숙한 사진이 보였다. 졸업하고 강릉여행을 떠났던 우리의 모습이었다. 푸른 바다가 배경이었다. 추운지 볼이 빨간 동윤과 웃으며 동윤의 팔을 꼭 잡고 있는 앳된 나. 둘다 그대로 굳어 버렸다. 동윤이 갑자기 카메라를 끄고 소파에 누웠다. 왜 끄냐는 내 물음엔 대답하지도 않았다. 결국 나는 직면하고자 이야기했다.

"나랑 여행 온 거 후회해?"

"응, 후회해."

"나랑 있는 게 그렇게 싫었으면 말을 하지."

갑자기 틱틱대는 동윤때문에 기분이 썩 좋지는 않았다. 뭐가 문젠지 모르겠으나, 언젠가 느껴본 듯한 기시감에 견디지 못하고 폭발할 것만 같았다. 동윤도 복잡한 듯 머리를 쓸더니 대답했다.

"그게 아니라…좋아서 그랬어. 좋아질까봐 그런거야. 상식적으로 어떤 친구가 여행을 같이 와? 근데 우리는 오래된 친구잖아. 그니까 너 이제 앞으로 우리집에 오지 마. 자고 가지도 마."

"좋아질까봐 밀어내야 해? 그게 맞아? 난 너랑 있는 거 좋아서 요즘 너무 헷갈려. 그냥 모르는 척하고 친구로 지내야 할지, 감정을 알아봐야 할지 모르겠어. 잃기 싫은 건 나도 마찬가지야. 네가 그러면 나는 어떻게 해야 할지 모르겠어. 밀어내지 말지."

"우리가 좋아했던 거 과거일 뿐 이잖아. 너랑 있으면 자꾸 옛날로 돌아가서 그런 것 같아. 다른사람도 아니고 너인데 어떻게 안 그러겠어. 너랑 있는 게 지금 당장 좋다고 해서….아니다. 난 너랑 오랫동안 잘 지내고 싶어. 지금은 책임을 지기가 어려울 것 같아."

오랫동안 동윤과 언쟁했다. 나는 과거로 돌아가는 게 뭐가 그렇게 나쁘냐고 물었다. 네가 나랑 놀고 싶어하고, 이야기하려 하고, 과거를 떠올리기도 하고, 좋아질까봐 밀어내려는 건 결국 현재라고. 동윤은 네가 뭘 아냐며 투정 아닌 투정을 부렸다. 한 사람은 다가오지 말라고 했고, 한 사람은 왜 다가가면 안되냐고 화냈다. 좋다는 건지, 싫다는 건지. 앞으로 선을 지키자는 건 어떤 방식인건지. 서로 무슨 이야기를 하고 싶어했는지도 모르겠다. 나는 또 반복될까 겁이 났다. 좋아한다고 말하기도, 그렇다고 그냥 모른 척하기도. 나조차 내게 솔직하지 못해서 알 수가 없었다.

피곤한지 눈을 거의 감고 웅얼웅얼 말하던 동윤은 결국 소파에서 잠들었다. 나는 조용히 그 모습을 쳐다보고 있었다. 내가 좋지만 모르겠다니. 오래 보고 싶으니 더 가까운 관계는 생각할 수 없다니. 답을 자꾸 정해두고 막으려 하는 태도에 화가 났다. 동윤의 결론은 그래도 내가 친구로 생각된다는 말이었다. 나도 모르게 잠든 얼굴을 천천히 살펴봤다. 가지런히 감긴 눈꺼풀에서부터 코, 입까지. 곧이어 마음 속 깊은 곳에서 요동치는 무언가를 깨달았다. '진짜 망했다.' 부정하고 있었는데 확인해버렸다. 뾰족한 바늘에 찔린 듯 가슴이 아팠다. 또 시작이라는 생각에 두려움부터 몰려왔다. 이불을 덮어주고 방에 들어가서 오지 않는 잠을 청했다.

동윤은 돌아오지 않았다. 시간이 흐르고 노을이 질 때까지도 마찬가지였다. 같이 여행을 와 놓고 따로 여행을 하자니 헛웃음만 나왔다. 다행히 짐은 그대로 있었는데, 그 사실로 위안을 삼는 내가 웃겼다. 나도 모두 내던지고 도망가버리고 싶었다.

숙소와 가까운 해운대로 향했다. 비가 오려는 탓인지 안개때문에 영 칙칙한 바다였다. 거친 파도가 계속 밀려오고 있었다. 할머니는 내게 항상 꼬인 매듭이 있으면 잘 풀어서 매듭을 다시 잘 묶어놔야 한다고 했다. 그렇지 않으면 꼬인 매듭은 좀처럼 풀리지를 않고 버릇처럼 반복된다고. 이 순간 묻고 싶었다. 대체 엉망으로 꼬여 있는 매듭은 어떻게 해야 잘 풀리고, 어떻게 해야 잘 묶을 수 있는건지. 계속 꼬여 있어서 반복되는 두 사람의 마음은 어떻게 해야 할지.

행복하다가 추락한 모습의 비슷한 겨울이 반복되고 있었다. 오래전에 이런 일기를 썼다.

'다 잃어버린 것 같다. 사랑도, 친구도 모두 잃어버린 것 같다. 너무 허무하다. 이렇게 한순간이라니. 그렇게 잃어버리기 싫어서 참고 또 참았었는데, 내 마음을 숨기고 부정하며 눌렀었는데 지금 생각하면 참 부질없다.'

여전히 관계가 깊어지려 할 때마다 도망치는 동윤이 야속했다. 그리고 여전히 미련하게 그 자리에서 그대로 기다리고 있는 나도 지겨웠다.

눈을 감았는데도 파도가 몰아친다. 애써 무시하던 마음을 꺼내본다. 숨겨둔 상처받았던 마음, 언제나 속절없이 끌리는 마음, 그리워하고 보고싶어 한 마음, 떨리고 좋아하는 마음, 모든 걸 감추고 싶은 마음. 헷갈리지 않고 분명한 마음만을 꺼내볼까. 곁에 함께 있고 싶은 마음, 서로가 소중하길 바란 마음. 돌고 돌아 결국 내가 감정을 느껴버리는 건 동윤이었다. 결국 서로에게 끌리면서 여전히 자신이 없고 밀어낸다. 친구라고 생각했다가도 그냥 그애가 날 좋아한다면 사랑해버릴 것 같았다. 우정도 사랑이 될까, 아니면 원래부터 사랑인걸까. 그렇게 항상 잃기 싫어서 전전긍긍하는 내 마음이 사랑의 한 종류일수도 있겠다고 생각되어 아렸다.

파도가 조금씩 잠잠해지기 시작했다. 뿌연 안개 속 멀리서 동윤의 모습이 보였다. 일어나서 모래를 털고 다가갔다. 동윤을 비난하면서도 사실 계속 회피하고 있던 건 나였다. 나는 늘 좋아하면서 상처받을까 항상 아닌 척했다. 함께하기에 안전한 '사람'과 '친구'라는 틀 안에 있었다. 조금이라도 벗어나면 피해자인 양 굴며 그 자리에 그대로 서 있었던 것이다. 친구로서 좋아한다며 곁에 두고 싶은 마음은 어쩌면 사랑으로 끌리는 마음과 함께하기에는 회피적인 내 욕심이었을지도. 그게 동윤에게는 더 어려웠을 수도 있겠다. 서로에게 끌리는 마음에 선을 넘었을 때 각자가 가지는 회피가 달랐을 뿐인 것이다. 우리가 조금 다른 관계였다면, 과거가 없었다면 또 달라졌을까.

다가가서 말을 걸었다. 동윤은 내가 있어서 놀랐는지 눈을 피했다. 뭐 할건지 물어봐도 '몰라' 하며 퉁명스럽게 얘기했다. 며칠 전까지만 해도 세상에서 말이 제일 잘 통한다고 생각했던 사람이 어느새 제일 통하지 않는 사람이 되다니. 실소가 나왔다. 돌아서는 동윤의 손을 잡았다. 두 손을 감싸 내 쪽으로 가져왔다. 마지막 용기이자 매듭이었다.

"좋아해. 나한테 너같은 사람이 있다는 건 참 행운이라고 생각했어.
인연을 이어오는 것도 좋고 마음이 통하고, 자꾸 끌리고, 위로받고.
이렇게 인생에서 소중한 사람이 있다는 게 쉬운 건 아니잖아. 두려운
마음 이해해. 근데 나는 이제 피하지 않을거야. 아닌 척하지 않을래.
아 그리고 상식적으로 누가 친구랑 하루종일 같이 있으려 하고, 집에
서 같이 자려고 하냐. 살면서 그런 적 없어. 네가 좋아서 같이 있고 싶
었을 뿐이야. 나는 과거에 사는 게 아니라 과거에도 현재에도 너였을
뿐이야. 너도 나와 비슷한 생각이 든다면 언젠가 말해줘. 잘 지내. 여
행 잘하고 가."

병찐 듯한 동윤의 모습을 마지막으로 숙소로 향했다. 뒤도 돌아보
지 않았다. 돌아보면 그대로 무너져서 친구든 뭐든 나를 밀어내지 말
라며 붙잡고 있을 것 같았다. 꼬인 매듭은 쉽사리 끊어지지도 않는 무
서운 힘이 있다. 숙소에 여행을 끝낸다는 편지를 두고 기차역으로 향
했다. 여정의 마무리였다. 그만 두려워하기로 했다. 그게 뭐든지.

우리에게 필요한 건 무책임이었다. 순수한 마음으로 '좋아해'라고
말할 수 있는 무책임.

순간순간이 변한다. 영원할 것 같던 순간들은 순식간에 바뀐다. 그
모든 순간을 소중히 간직하고 돌아보되 얽매여서는 안된다. 하지만
그 순간이 모두 모이면 결국 한 사람의 인생이고 전부이며 현재 일터.
그 중요한 것들에 가끔은 벅차오르고, 그 마음에 아파하고 얽매이기
도 하는 게 사람이 아닐까. 동윤에 대한 마음으로 가득 찼던 순간들을

그린다. 아마도 절대 잊지 못하겠지만.

우리는 관성처럼 서로 제일 가까워졌다가 멀어지기를 반복했다. 책임에 전전하는 동윤과 달리 나는 무책임하기로 결정했다. 마음에도 관성이 있다면 언젠가 또 가까워질 수도 있겠지. 그럼에도 아니라면, 아닌 거겠지.

기차가 출발한다.

창밖에서 두리번거리는 동윤의 모습이 보였다. 뛰어온 듯 헐떡이는 모습이었다. 마치 영화처럼 그대로 눈이 마주쳤다. 영화랑 다른 점이 있다면, 기차는 기다려주는 틈도 없이 그대로 출발해버렸다는 것이다.

반복되는 이야기의 막이 내렸다. 몇 번째 막인지, 이제 정말 끝인지는 알 수 없었다.

내 이야기.

김민주

김민주   누군가 내게 존경하는 인물이 누구냐고 묻는다면, 아이들이라고 답하
         고 싶다. 사회에 발을 들이지 않은 자신만의 세상을 온전히 유지하며
         살아가는 희망찬 연령대가 내겐 책을 쓰는 원동력이자 소재의 근원이
         다. 그중에서도 쉬지 않고 성장하는 청소년 문학 속 인물들은 끊임없
         이 날 성장시킨다. 그들을 닮아 시간이 지나도 꿈을 꾸며 날아가는 그
         런 사람이 되고 싶다.

         블로그: samsun0301@naver.com/samsun0301

5월 4일

- 삼촌 왔다며?

시간은 며칠 전으로 거슬러 올라간다. 그날도 어김없이 옆 동네 대영고 놈들과 싸움을 벌이고 돌아오는 길이었다. 교복 마이에 먼지가 묻어서 집으로 올라가는 언덕에서 급히 털었다. 할매가 보면 또 잔소리할지도 모르니 미리 처단하는 게 상책이다. 우리 집은 언덕 중턱에 있는 빛바랜 파란 지붕, 파란 대문으로 무장한 집이다. 이왕 할 거면 검정이나 빨강이 좋았을 것을. 파란색은 임펙트가 없다. 급하게 물웅덩이에 비친 얼굴을 살피고 대충 소매로 흙먼지를 훔쳤다.

여름이 아닌 이상 대문이 닫혀있어야 정상인데, 그날은 활짝 열려 있었다. 어쩐지 이상하다. 할매가 문을 열어놓는 일은 흔치 않다. 손님이 왔을 경우, 내가 늦게까지 집에 안 들어왔을 경우. 대문 안으로 목 빠진 자라처럼 얼굴을 들이밀었다. 중학생 때부터 패싸움 다니면서 생긴 감으로 알 수 있다. 누군가 있다. 대문을 고정해 놓은 각목을 집어 들고 엽문처럼 발소리 없이 집 안으로 들어갔다. 무협 영화가 빛을 발하는 순간이다. 못 보던 정장 구두가 있었다. 반짝반짝 윤이 나는 게 낯설어 눈을 가늘게 떴다. 할매한테 이런 손님이 있다고? 신발을 벗고 들어가자 널널한 검은색 셔츠, 검은 바지를 입은 남자가 있었다. 역시나 할매는 문 앞에 가만히 서 있었다. 할매를 뒤로 물리고 고민 않고 각목으로 남자의 등을 내리쳤다. 고통이 담긴 우악스러운 비명이 집안에 퍼졌다. 난 승리의 미소를 지었다. 여기가 누구 집인 줄 알고 기어들어 와.

– 아! 어떤 새끼야?!

놀란 할매가 남자한테 다가갔다. 남자가 화난 얼굴로 뒤를 돌아보자마자 각목을 든 손을 내렸다.

– ……아빠?

아빠랑 너무 닮았다. 솔직히 입술은 아빠가 더 두껍고, 코도 아빠가 더 높지만, 어찌 됐든 닮았다. 나도 모르게 액자 속에 있는 아빠가 떠올라 육성으로 내뱉어 버렸다. 돌아가신 아빠 이야기를 해버리다니 실수다. 할매가 내 엉덩이를 두어 대 때렸다. 다 큰 18세 고딩의 엉덩이를 때리는 할매가 어디 있나. 내가 누구 때문에 때렸는데.

– 그런 걸로 사람을 때리면 우야노. 니 삼촌이다! 사과해라 어여.

삼촌이라면 아빠의 동생, 집안의 골칫덩어리 이윤재를 말하는 건가. 고딩 때부터 술 담배는 물론이고, 도둑질까지 해서 고생이 이만저만 아니었다던 그 말종 이윤재? 내 인상은 더욱 구겨졌다. 삼촌은 손에 쥔 액자를 내려놓고 허허허 웃었다. 방금까진 한 대 칠 것 같은 표정을 지어놓고 너스레를 떨고 있다.

- 니 태범이가? 짜식 마이 컸네! 남자네 남자!

생전 한 번도 본 적 없던 남자가 둔한 손으로 내 머리를 마구 헤집어 쓰다듬는다. 그 손마저 아빠를 닮아 차마 뿌리치기 쉽지 않았다. 그래도 가오가 있지. 짧은 머리여도 망가지는 건 똑같다. 뒤늦게 손을 쳐내고 최대한 강한 표정으로 눈을 치켜뜨고 턱을 들어 올렸다. 삼촌은 내 얼굴을 보자마자 호탕하게 웃었다. '엄마 얘 형 아들 맞나? 내 아들이라해도 믿겠는데?' 라는 말에 눈살을 찌푸렸다. 우리 아빠를 너 같은 놈이랑 비교하지 마라. 털을 곤두세운 고양이 마냥 눈에 힘을 주니 삼촌이 어깨에 팔을 두르고 꿀밤을 먹였다. 더럽게 아프다.

- 그래 째려보지 마라. 안 그래도 찢어진 눈 더 찢어져서 사라진다. 하하.

- 할매, 이 인간 뭐고? 할매가 데려왔나?

- 삼촌한테 이 인간이 뭐누.

- 앞으로 부대끼고 살긴데 좀 살갑게 대해줘라. 내 이 집에서 살기로 방금 마음 먹었다.

한마디 상의도 없이 갑자기 식구가 늘었다. 그것도 몇십 년 전에 집을 뛰쳐나가고 살아있는지도 몰랐던 인간이 염치없이 찾아와서 같이 살 거란다. 누굴 호구로 아는 건지. 너 같은 놈이 잘 곳은 없다고 한마디 하려는 순간 할매 표정을 보고 입을 다물었다. 망나니 아들이라도 내심 반가운건지 표정이 좋아 보여서 뭐라 말도 못 하겠다. 망할 할망구.

담임이 아침부터 불러서 한다는 말이 삼촌 얘기다. 남의 집 얘기는 왜 이렇게 잘 아는지 모르겠다. 할매가 왕년에 가르친 제자라서 아는 건지. 우리 아빠 불알친구라서 아는 건지. 담임은 젊었을 때부터 아빠랑 죽이 잘 맞았다. 지금은 아빠 장례식날 나를 끌어안고 약속을 꼭 지키겠다고 중얼거리던 담임 모습은 온데간데없다.

- 물어보면 재깍재깍 대답해야지. 임마.

- 그렇다고 때립니까? 쓰읍……

- 너 말 잘했다 이 새끼야. 어제도 옆에 대영고 애들 팼다며! 아주 깡패 납셨어! 허구한 날 쌈박질이나 하고. 내가 스승님 앞에서 고개를 못 들어서 목디스크가 걸렸어, 새끼야.

문장이 끝날 때마다 때리는 건 아닌 것 같다. 누가 체육 담당 아니랄까 봐 스킬이 남다르다. 중딩 때부터 심심치 않게 맞아왔는데, 고딩 돼서 매일 맞으니까 더 아픈 것 같다. 그러더니 갑자기 내 앞으로 공책 하나를 던져준다. 한자로 일기(日記)라고 적혀있다.

- 뭡니까?

- 뭐긴 뭐야. 일기장이지. 오늘부터 일기 써서 검사받아라.

- 지가 초딩입니까? 요즘 초딩들도 일기 안 씁니다!

- 넌 좀 써라. 이태범이, 이번에 국어 성적이 화려하대? 14점? 국어 쌤 앞에서 챙피해서 진짜!

- 그건 쌤이 국어쌤한테 까대기치고 싶은데 가오가 안 살……악!

틀린 말 한 것도 없는데 때린다. 나한테 쌈박질 그만하라는 말을 해야 할 처지는 아닌 것 같다. 일기 안 쓰면 무슨 일이 벌어질지 기대하라고 하얀 이를 드러내며 웃는다. 폼도 안 나고, 초딩 같아서 하기 싫어도 할 수밖에 없다. 이게 아빠랑 한 약속일 수도 있지 않나 생각하면 차마 공책을 찢어버리는 짓은 못하겠는걸 어쩌겠나.

5월 7일

요즘 하루하루가 새롭다. 난 아빠의 옛 기억 속 삼촌과는 다른 인간을 마주하고 있는 것 같다. 갑자기 나타난 삼촌 덕에 오랜만에 아빠가 들려줬던 얘기가 떠올랐다. 부모가 선생인데 자식은 양아치고, 공부도 못해서 동네에서 손가락질당하는 처지였다고 한다. 그에 비해 모범적인 아빠는 언제나 할매의 자랑이었다. 동네에 현수막이 붙을 정도로 대학도 잘 갔다. 거기서 엄마를 만나 인생이 꼬여버렸지만. 어쨌든 날 낳고 살았다. 5살 때, 엄마는 도망가 버리고 아빠는 술에 시달리다가 화장실에서 미끄러지는 바람에 머리를 다쳐 죽었다. 고작 내가 10살 때 일어난 일이다. 그때부터 할매랑 단둘이 사는 인생이 시작된 거다.

집으로 가는 길은 언덕이 꽤 가파르다. 아직도 숨이 차서 중간에 한 번은 쉬고 올라가야 한다. 장바구니를 들고 올라가는 할머니를 발견하니 한숨부터 나온다. 배달시키라는 말은 죽어도 안 듣는다. 직접 보고 사야 마음이 편하단다. 터덜터덜 걸어가다 슬리퍼 마찰 소리에 고개를 들어보면 삼촌이 달려오고 있다.

- 이 동네는 배달도 없나? 허리 꼬부라지기 좋은 동네네.

내가 하던 걸 삼촌이 하고 있다. 멍하니 바라보고 있는 날 발견하곤 손짓한다. 오늘 저녁은 삼겹살이란다. 평상에 앉아 소주를 건네는 삼촌의 표정이 익살스럽다. 개그맨 못지않다. 어른이 주는 건 마셔도 된다고 해서 호기롭게 한번에 털어 넣었다. 알코올 솜으로 식도를 마사지 한 기분이다. 할매가 옆에서 말려도 남자는 어릴 때부터 조기교육이 중요하다고 밀어붙인다.

며칠 전에 아랫동네에 이름 좀 날린다는 중딩 하나가 골목에 쭈그리고 앉아있는 내 엉덩이를 때려서 혼쭐을 내줬었다. 같이 간 친구들이랑 패거리 싸움으로 번져서 얼굴에 상처가 잔뜩 생겼다. 이건 어떻게 가릴 수도 없어서 몰래 방으로 들어가려 했지만, 할매한테 발각되는 바람에 등짝을 여러 번 맞았다. 얼굴이 이게 뭐냐며 연신 때리는 손이 매워도 아프진 않았다. TV를 보고 있던 삼촌이 다가와 할매 손을 막는다.

- 다 싸우면서 크는 거다. 엄마.

- 얼굴이 이게 뭐고! 내 죽을 때가 다 됐는갑다……아이고……

- 와 죽는다 카는데! 그리고 내보다 어린놈이 시비 걸었다아이가! 그걸 내가 와 참아야 하는데?!

- 그래! 사나이라면 주먹질도 할 줄 알아야제! 잘했다! 잘 컸네 짜식!

삼촌은 내 편을 들어줬다. 어깨를 둘러맨 손에 미소가 번진다. 삼촌은 날 이해해 주고 있다. 할매처럼 혼내지도 않고, 내 기를 살려준다.

할매가 방으로 들어가자 삼촌은 다시 소파로 가 누웠다. 한쪽 눈을 익살스럽게 감는 모습에 웃기다가도 방문을 쳐다봤다. 다시 벌컥 열리는 소리에 눈을 돌렸다. 인상 찡그린 할매가 터벅터벅 걸어 나와 팔을 당겨 바닥에 앉혔다. 락앤락 통에 담아놓은 빨간약을 꺼내 덕지덕지 바른다. 따가워서 밀어내도 꿋꿋이 바른다. 어쩐지 할매 눈이 촉촉해진 것도 같다. 시선을 돌려 삼촌을 바라봤다. TV를 보고 깔깔 웃는다. 뭘까, 이 기시감은.

5월 11일

오늘 처음으로 일기 검사를 받았다. 애들이 담임한테 특별대우 받아서 좋겠다고 놀린다. 뒤통수를 시원하게 때려주고 가운뎃손가락으로 응징해 줬다. 일기장 받으러 교무실에 갔더니 담임이 날 빤히 올려다본다. 또 무슨 말을 하려고 빤히 쳐다보는지 한시라도 긴장을 놓을 수가 없다.

- 술을 마셔, 이 새끼야?
- 으아… 갑자기 때리는 건 반칙 아임까?
- 그럼 때린다고 예고하고 때리리?

내 이럴 줄 알았다. 보자마자 때릴 줄 알았다. 애초에 일기가 솔직하게 쓰라고 일기 아닌가. 스승인 담임한테 검사받는다고 지어내는 건 진정한 사나이와 거리가 멀다. 그나저나, 할매는 수학 선생이었는데, 왜 제자는 근육 돼지 체육이 되었는가. 더럽게 얼얼하다. 일기장을 받아 들고 빨리 여길 벗어나려 대충 인사하고 나가려는 순간 담임이 무게 잡힌 목소리로 내 이름을 불렀다.

- 이태범이.

- 예?

- 집에 별 일 없제?

- ..일기 안 보셨습니까? 대충 보신 거 아닙니까? 상세하게 적었는데.

- 때린다.

- 악!

때린다고 말해도 막지 못할 거 객기부리지 말고 일기나 잘 쓰라며 손을 휘휘 젓는다. 안부를 묻는 일은 흔한데 어쩐지 오늘의 안부는 사뭇 다른 느낌이 든다. 할머니 아픈 곳 없으시냐, 또 사고 치러 가는 거냐, 네 아빠한테 인사하러 갈 건데 시간 내라. 일상 같은 안부인데, 표정이랑 목소리가 평소랑 달라서 괜히 멈칫했다. 때리기 위한 준비운동이었던 걸까. 교무실 문을 잡고 중얼거리고 있으면 담임이 쳐다보지도 않고 등만 보인 채로 말한다.

- 그래도 요즘 사고 안 치고 집에 들어간다고 들었다. 잘했다.

친구들한테 말해줬더니 팔을 붙잡고 부르르 떤다. 담임이 죽을 때가 다 됐나 왜 안 하던 말을 하냐며 징그럽다고 입을 늘어뜨렸다. 우리끼리 창가 책상에 옹기종기 모여 피식 웃었다. 고깃집 아들 우명이가 날씨도 좋고, 일기 컨펌도 받았겠다 간만에 땡땡이 어떠냐고 의견을 제시했다. 우리 중 제일 키가 큰 혁이가 팔꿈치로 등을 밀며 개구지게 웃었다. 일기 잘 썼으니 이정도는 넘어가 줄거라 믿는다.

점심시간 전에 맞는 학교 밖 풍경은 싱그럽기 그지없다. 오락실에 사람이 없어 구애받지 않고 하고 싶은 게임을 마음껏 할 수 있었다. 떡볶이집도 한산해서 떠들어도 잔소리하는 어른도 없다. 코흘리개들의 아지트의 그네도, 미끄럼틀도, 뺑뺑이도 온전히 우리의 소유다. 실컷 놀고 4시쯤 집으로 향했다. 언덕 입구에서 오른쪽은 우명이네 가게, 왼쪽은 혁이랑 대웅이 집, 직진하면 우리 집이라 항상 여기서 만나고 헤어진다. 애들이랑 인사하고 언덕 입구로 몸을 돌리는 순간. 검은 양복을 입은 무리를 봤다. 족히 7명은 넘었다. 집으로 향하던 친구들도 돌아와 내 옆에 섰다. 검은 셔츠, 검은 바지, 늘 현관에서 보던 반질반질한 구두. 삼촌이다. 대웅이가 삼촌 아니냐고 물어서 맞다고 고개를 끄덕였다.

- 니 지금 뭐하는 거가?!

- 구해줘야 한다. 누가 봐도 깡패 새끼들 아이가!

- 야야야! 우리가 낄 사이즈가 아이다! 점마들 이 동네에서 유명한 깡패다! 전에 우리 가게에서 난동 피워가 아부지가 신고해서 내 본 적 있다!

- 그러니까 더더욱 구해야하는 거 아이가! 오줌 지릴 거면 혼자 지려라. 놔라!

우리 삼촌이 저런 새까만 인간들이랑 어울릴 리가 없다. 나한테 잘해주는 사람이 삐뚤어져도 저런 놈들처럼 틀어질 순 없다. 내 팔을 잡은 우명이를 쳐내고 앞으로 나가려는 순간 삼촌의 우렁찬 목소리가 들렸다. 90도로 상체를 숙여 담배를 피는 2대8 가르마 남자한테 고개를 숙였다. '안녕하십니까 형님!' 이 목소리가 귀에 정확히 박혔다. 우명이랑 대웅이 손에 이끌려 전봇대 뒤에 숨었다.

- 어어 그래. 두만이 작업은 잘 되고 있나.

- 염려 마십쇼! 순탄하게 진행 중에 있습니다!

- 시간이 오래 걸린다카던데. 그냥 작업 들어가지 와이리 시간을 끄나.

- 이,이 동네 짭새가 많아가 일이 커지면 조직에도 안 좋다 아입니까. 다른 방법을 찾고 있습니다!

삼촌이 이상하다. 삼촌 이름은 이윤재인데, 두만이라고 부르는 남자한테 성실하게 대답하고 있다. 두만이는 또 누구인가. 남자가 목욕탕 굴뚝처럼 굵은 연기를 뿜어낸다. 몽땅 연필처럼 작아진 담배를 아스팔트 위에 짓이긴다. 삼촌의 어깨를 꽉 잡고 손가락 세 개를 휘적거리자 검은 무리가 일사불란하게 움직였다. 어떤 인간은 차 문을 열고, 어떤 인간은 운전석에 올라타 시동을 건다. 삼촌은 남자의 차가 떠나고 나서야 숙였던 몸을 일으켰다. 눈이라도 마주칠까 무서워 혁이가 목덜미를 잡고 뒤로 당겼다. 어쩐지 보면 안 되는 장면을 목격한 것 같아 다들 말이 없었다. 머릿속으로 합당한 변명과 회피를 찾기 바빴다. 협박당하고 있을 것이다부터 시작해서 삼촌이랑 닮은 두만이라는 남자일 것이다까지 다양하다 못해 말이 안되는 것들 투성이었다.

- 태범아! 야 이태범!

혁이가 공기 섞인 목소리로 최대한 크게 불렀다. 그제야 정신을 차리고 어리바리한 얼굴을 하고 애들을 쳐다봤다. 우리 중에서 그나마 똑똑한 대웅이가 상황을 정리했다. 작업이라는 게 대체 뭔지는 모르겠지만, 좋지 않다는 것만은 확신할 수 있다고 자신있게 말했다. 이미 들어버린 이상 모른 체할 수 없다는 말에 우명이가 의견을 제시했다.

　- 정보를 모으자. 저놈들 여기 꽤 들쑤시고 다니는 것 같으니까. 알아보면 뭔가 나올 것도 같다!

　- 태범이 니는 담임한테 함 물어봐라. 그래도 아저씨 친구고, 할매 제자니까 아는 게 있을기다.

　계획 짜는 친구들 사이에서 난 아무 말도 꺼낼 수 없었다. 그저 이 상황을 다르게 정의하고 싶은 마음뿐이다. 만약 내가 본 모든 게 사실이라면, 지금껏 삼촌이 내게 보여준 모습은 대체 뭐였을까. 돌아온 아들에 웃던 할매의 얼굴이 아른거렸다.

5월 14일

'동룡파'

중딩 때 들어본 적 있다. 용 문신한 아저씨들이 간혹 목격되고 있으니까 밤늦게 골목으로 다니지 말라고 당시 담임이 주의를 줬다. 경찰 아재들도 무시할 정도로 작고 별 볼 일 없이 이름만 깡패인 녀석들이 갑자기 덩치가 커졌다. 가끔 동네 가게에서 술을 마시고 난동을 피우다가 몇 번 신고가 접수되고 나서부터는 온 동네 주민들이 다 알게 됐다. 우명이네 가게에서도 술값 안 내고 나가려고 난동 피우다가 아저씨가 제압하고 파출소에 갇혀 있는 걸 우명이가 봤단다. 얼마 전에도 자기네 가게에 와서 술 마셔서 카운터에서 조는 척하고 몰래 얘기를 엿들었다는 말에 혁이랑 대웅이가 우명이의 대범한 태도에 멋지다고 잔뜩 흥분한 얼굴을 했다.

- 곽두만. 이 사람 니 삼촌 맞다. 들어온 지 얼마 안 된 신참이라서 위로 올라가려고 아등바등한다고 조직 내에서 모르는 사람이 없다 카던데?

거짓말이라고 믿고 싶었던 것이 현실이 됐다. 이윤재라는 이름을 버리고 곽두만으로 새로 태어난다는 게 말이 되는가. 할매랑 나한테 보여줬던 모습은 대체 뭐란 말인가. 주먹을 꽉 쥐고 계속 말해보라고 했다.

- 우리 동네에 설치고 다니는 이유를 알아냈다.

- 뭔데? 왜 하필 우리 동네가?

혁이는 도무지 이해할 수 없다는 표정으로 우명이를 흘겨봤다. 우리 동네 뭐 볼 거 있다고 깡패들이 득실거리는지 모르겠단 의미 같다. 내 생각도 같다. 언덕 높고, 맥도날드 하나 없는 동네를 누빈다고 조직이 얻는 게 뭐가 있는지 모르겠다. 우명이가 팔짱을 끼고 삐딱하게 앉아 날 위아래로 훑고는 배신당한 표정을 짓는다.

- 야 이태범이. 느그 할매. 돈 많대? 이짝 동네 땅 다 할매 거라던데? 동네 어른들은 다 알대?

- 돌 씹었나. 뭐라는데.

가만히 있으면 덥지도 않다고 선풍기도 못 틀게 하는 할매가 무슨 땅 부자라는지 모르겠다. 쓸데없는 소리하지 말고 하던 얘기나 마저 하라고 우명이 머리를 때렸다. 그랬더니 버럭 소리를 질렀다. 그게 이 동네에 설치는 이유란다. 곽두만이 할매 재산을 노리고 이 동네에 동룡파를 끌고 들어왔고, 머지않아 재산을 손에 넣어 진정한 조직원으로 인정받기 위해서 안간힘을 쓰고 있다고 말이다.

- 여차하면 죽여서라도 바치겠다고 선언했단다. 미친 새끼. 그게 인간이가?

- 그러면, 작업이 라카던 게 설마 할매를 죽이는 거가!?

- 그거면 짭새 눈치 보는 것도 이해는 가네.

- 그래도 삼촌이 요 며칠간 태범이한테 잘해줬다아이가? 진짜 그러겠나……

- 니 대가리 변기통이가? 지금 굴러가는 상황을 봐라. 그 틈에 땅문서고 뭐고 다 가져가려고 연기하는 거아이가!

우명이가 알아 온 정보가 전부 사실이라면, 이러고 있을 때가 아니다. 자리를 박차고 일어나 허공에 육두문자를 있는 대로 퍼부었다. 아빠 대신 삼촌이 왔다고 생각한 스스로가 한심하다. 삼촌이 오고부터 쌈박질도 안 하고, 땡땡이 치는 일도 줄었다. 아빠가 살아있었다면, 소싯적 아빠처럼 모범생이었을 거라고 혼자 키득거리던 지난 날이 창피하다. 내가 사고치고 돌아올 때마다 입버릇처럼 내뱉던 죽을 때가 다 됐다는 말도 들리지 않아서 모든 게 지금처럼 순탄할 거라고 생각했다. 관자놀이 옆으로 핏줄이 곤두서는 게 느껴진다. 손바닥에 자국이 생길 정도로 주먹을 꽉 쥐었다. 이 모든 원흉이 땅문서라는 생각에 가방을 들고 냅다 집으로 뛰어갔다. 애들이 뒤에서 부르든 말든 그 가파른 언덕을 쉬지 않고 뛰었다.

다행히 아무도 없었다. 도둑의 마음을 이해할 것도 같다. 시간이 없으니 닥치는 대로 뒤지고 헤집어 놓게 된다. 화장대, 이불 아래, 액자 뒤 가릴 것 없이 헤집었다. 장롱 안에 오래된 붉은색 꽃무늬 박스를 발견했다. 빛바랜 노란색 봉투에 촉이 왔다. 테이프의 끈끈이가 닳아있는 걸 보니 오래된 게 분명하다. 이거구나. 상자 안엔 할매 통장부터 시작해서 도장까지 중요해 보이는 물건이 모여있었다. 급한 마음에 내용물도 살피지 않고 상자째로 가방에 집어넣었다.

– 태범아? 집안 꼴이 이게 뭐고……? 도둑 들었었나?! 그건 와 들고 서 있노.

– 할매! 당장 이 동네 떠야 한다! 필요한 거 있으면 챙기라!

상자가 든 가방을 끌어안고 할매한테 소리쳤다. 흥분이 가시질 않았다. 집은 얼마든지 다시 찾을 수 있다. 일단 할매가 안전한 게 우선이었다. 화장대에 놓인 화장품이랑 벽에 걸어둔 겉옷 몇 개 집어다가 가방에 쑤셔 넣었다. 할매가 내 어깨를 꽉 붙잡고 단호한 목소리로 내 이름을 불렀다. 눈은 커졌으면서 목소리를 또 침착하다. 도대체 왜 이러냐는 할매에 답답해서 우명이의 말을 토시 하나 빼놓지 않고 랩 하듯 속사포로 쏟아냈다. 가슴이 위아래로 역동적으로 움직이는 나에 비하면 할매는 고요하게 짝이 없다.

- 할매 우리 이러고 있을 여유 없다! 언덕 아래 우명이네로 가서 차 얻어 타야……

- 내 이미 알고 있다. 니 삼촌 그러는 거 진작 알았다.

삼촌이 여기 왔던 날. 집에 왔더니 방에 누가 있어서 심장이 얼어붙는 줄 알았단다. 신고 나갔던 샌들을 손에 쥐고 사시나무 떨듯 요동치는 몸을 겨우 이끌고 열린 방문 틈으로 안을 살피다 20년 가까이 못 보고 살았어도 아들이란 걸 단번에 알았단다. 서랍을 열고, 닫고, 이불을 걷어내고 다시 접어두는 모습을 보고 처음엔 뭐하나 싶었다고 말했다. '망할 노인네 어디 숨긴 거야!' 이 말을 듣기 전까지 말이다. 매번 나한테 죽을 때가 다 됐다고 말했던 순간이 진짜 코앞까지 다가왔다고 생각했단다. 그러다 화장대에 나란히 놓인 가족사진을 가만히 들여다봤다고 한다. 아빠랑 나, 할매. 한쪽에 홀로 놓인 자기 사진을. 그리고 얼마 안 있다 집으로 들어온 내가 삼촌을 때린 거란다. 할매는 나한테 해가 될까 봐 삼촌을 내쫓으려고 마음먹었는데 삼촌에게서 아빠를 발견한 날 보고 차마 나가라는 말을 할 수 없었다고 말했다. 후에는 내가 웃고, 좋아해서 이대로 살아도 나쁘지 않겠다고 생각했단다. 그 얘기를 듣자마자 심장 안쪽에 생긴 작은 응어리가 혈관을 비집고 올라오는 기분을 느꼈다.

- 알고 있었다고?! 근데 왜 가만히 있나!! 분하지도 않나?!

- 태범아. 분할 게 뭐 있노. 가족인데. 어차피 줄 거였다…… 곧 죽을 늙은이가 가져서 뭐 하겠노…...

그딴 게 가족이면 나는 대체 뭘까. 나는 아빠도 없고, 엄마도 없어서 가족이라고는 허리 다 꼬꾸라진 할매뿐인데, 나 때문에 삼촌을 내쫓지 못했다는 말에 화가 났다. 이 모든 게 내가 만든 상황인 것 같아서 참지 못하고 괜한 할매한테 화풀이했다.

　- 내는 가족 아이가?! 내가 쌈박질하고 다니고, 공부도 안 해서 지금 내한테 이러는 거가?! 할매⋯⋯할매는 좀! 죽는다는 말 좀 카지 마라!

　결국 목구멍까지 차오른 응어리를 토해냈다. 울컥하는 마음을 숨기지 못하고 가장 약한 모습으로 울먹이는 목소리도 감추지 못하고 뱉었다. 놀란 할매 얼굴에도 씩씩거리는 마음은 진정되질 않는다. 할매가 뭐라 말하려던 순간, 대문이 강하게 젖히는 소리와 함께 부딪치는 소리가 들렸다. 침 뱉는 소리와 함께 굵고 거친 남자 목소리가 귀에 꽂힌다. 급하게 뛰어나가 걸쇠를 걸어 잠갔다. 입구는 막혔다. 평소 안 굴리던 머리를 쓰려니 아무런 생각도 안 든다. 이대로 할매가 붙잡히게 둘 순 없다.

　- 태범아!

　주방 옆 쪽문이 열리더니 우명이가 공기 섞인 목소리로 날 부른다. 집에 간 줄 알았던 놈들이 기특하게 우리 집으로 왔다. 멍청한 깡패놈들. 뒷문이 있을 거라고는 생각도 못 했겠지. 시간 없다며 빨리 나가자고 말하는 대웅이가 주변을 살피며 손짓했다. 덩치 큰 혁이가 등을 내밀었다. 우명이 눈짓에 들고 있던 가방을 할매한테 매줬다.

　- 할매! 애들이랑 먼저 가 있어라. 내 금방 쫓아갈게.

　- 태범아. 그러지 마라! 이건 아들 싸움이 아이다. 어른이다 어른!

- 할매 큰소리 내시면 안 됩니더!

- 아무 일 없을기다. 야. 내가 시간 좀 끌어볼 테니까. 할매 좀 부탁한다.

- 내려가서 어른들 다 불러올 테니까 좀만 버텨라!

우명이가 할매를 혁이 등에 업힐 수 있게 도왔다. 밖에서 큰 소리가 들린다. 굵고 거친 남자 목소리에 흠칫 놀랐다. 문을 막아둔 걸 알아차린 모양이다. 우명이한테 무슨 일이 있어도 할매랑 가방을 지켜야 한다고 당부했다. 드라마에 나오는 형사라도 된 것 같은 기분이라며 너스레를 떨었다. 손은 부들부들 떨고 있으면서. 대웅이가 아무 없으니까 지금 가야 한다며 재촉했다. 할매는 끝까지 내 소매를 잡고 안 놓으려 안간힘을 썼다. 주름진 할매 손을 한번 잡고 평소처럼 웃었다. 강한 척을 했다. 솔직히 이 상황이 안 무서우면 인간이 아니다. 할매를 데리고 도망치는 모습을 확인하고 뒷문을 닫았다. 그와 동시에 걸쇠가 뜯어지고 안으로 검은색 양복을 입은 인간들이 들이닥쳤다. 고작 고딩이랑 약한 할매 하나 잡으려고 건장한 남자 5명이나 왔다. 그 가운데 삼촌도 있었다.

우뚝 서 있는 나를 확인하고 집안을 샅샅이 뒤진다. 이미 난장판이 된 안방과 신발은 있지만 어디에도 없는 할매에 삼촌의 얼굴이 험악하게 구겨진다. 발에 체중을 실어 배를 걷어찬다. 억하는 소리와 함께 내 의지와는 상관없이 침이 흘러나온다. 고딩들 패싸움과는 파워 자체가 다르다.

- 개새끼가 오냐오냐해줬더니.

- 여기 뒷문이 있는데? 야 꼬맹아. 여기로 빼돌렸냐?

잔뜩 몸을 웅크리고 있다가 뒷문을 열고 주위를 둘러보는 한 남자와 눈이 마주쳤다. 괴로워서 말도 제대로 못 했다. 배가 쇳덩이에 얻어맞은 것처럼 욱신거렸다. 내 표정을 읽은 남자가 비아냥거리며 웃었다. 조직원들을 시켜 할매를 쫓게 시켰다. 뒷문으로 남자 둘이 달려 나간다. 몸을 돌려 달려 나가는 남자의 다리를 붙잡고 늘어졌다.

- 가게 둘 것 같냐!!!!

남자는 자비 없이 내 얼굴을 걷어찼다. 이빨을 꽉 깨물지 않았다면 어금니 하나 정도는 흔들렸을지도 모른다. 그대로 거실에 널브러져 어떻게든 몸을 일으키려 안간힘을 썼다. 삼촌은 예상치 못한 일에 고함을 질렀다. 이럴 줄 알았으면 당장 빼앗을 걸 그랬다며 악을 질렀다. 남자는 그런 삼촌을 보며 혀를 찼다.

- 그게 니가 아직도 바닥을 기는 이유다. 꼬맹이 하나에 맴이 약해져서 무슨 조직에 일원이 되겠다고 설치는지. 내 오늘 일은 형님한테 토씨 하나 빼놓지 않고 보고할기다.

남자의 말에 삼촌 얼굴이 사색이 됐다. 그 틈을 타 자리에서 일어나 자세를 고쳐 잡았다. 동영상을 배운 복싱 기본자세다. 울그락불그락 당장이라도 터질 것 같은 얼굴을 한 삼촌한테 먼저 달려들었다. 주먹을 휘둘렀지만 다 막아내더라. 옆구리 두 대, 얼굴 한 대, 얼얼함에 눈가에 눈물이 그렁그렁 맺혔다. 남자 손에 들린 각목을 뺏어 들어 내리치려다 멈췄다. 바닥에 웅크려 숨죽여 고통을 참아냈다. 팔 틈 사이로 보인 삼촌은 어쩐지 괴로운 표정을 짓고 있었다. 결국 각목 대신 발로 날 연신 밟았다. 어느 정도 맞다 보니 별별 생각이 다 들었다.

할매는 잘 도망쳤을까. 무사히 우명이네 가게로 갔을까. 그동안 나한테 맞았던 새끼들 기분이 이랬을까. 오만가지 생각이 다 들었다.

- 할……매.

개미만 한목소리로 할매를 부른 게 내 마지막 기억이다. 결국 정신을 잃었다.

5월 16일

빛 때문에 눈이 부셔서 제대로 눈을 뜰 수도 없었다. 겨우겨우 눈을 뜨니 담임이 날 내려다보고 있었다. 내 얼굴을 이리저리 손가락으로 툭툭 친다. 내 말 들리냐? 정신이 좀 드나? 뭐라고 말하는데 다친 얼굴을 건드리면 아파서라도 정신이 들 것 같다.

- 기어이 사고를 치는구나. 반항하냐?

의사 선생님 금방 불러올 테니 기다리라는 말만 남기고 후다닥 뛰쳐나갔다. 대답할 타임은 줘야 할 거 아닌가. 팔에 꽂혀있는 링거랑 소독약 냄새가 진동하는 거 보니 병원인 것 같다. 죽지 않고 살았구나 안심하는 순간 눈이 번쩍 뜨였다. 할매가 떠올랐다. 우명이네가 데리고 도망친 이후로 소식을 듣지 못해서 혼란스러웠다. 담임이 가만히 있으라고 말한 지 1분 만에 자리에서 벌떡 일어났다. 걸리적거리는 링거 바늘을 억지로 빼냈다. 쓰라린 것도 잊은 채 할매를 찾아 나섰다. 어지럽고 토할 것 같은 메스꺼움에도 내 신경은 온통 할매뿐이었다. 맨발로 병실을 누볐다. 혹시 그놈들한테 잡혔나? 가방에 든 상자를 빼앗긴 건 아닐까? 진짜 삼촌이 할매를 죽인 건 아닐까? 온갖 부정적인 생각이 머릿속을 지배했다. 아들이라고 마음 약해져서 돈도 마음도 다 빼앗긴 건 아닐까 하는 마음에 멋대로 병원을 돌아다녔다.

　- 이태범이! 진정해라!

　- 할매! 할매!!!

　- 이태범 환자! 이러시면 더 심해져요! 어서 자리로 돌아가세요!

　놀란 담임이 내 이름을 부르며 다가왔다. 날 붙잡고 말렸다. 간호사들도 다가와 진정시켜 보지만 통하지 않았다. 덕분에 병원이 시끄러워졌다. 그 난리 통에 병실 문이 다급하게 열렸다. 볼에 큰 밴드를 붙이고 있는 우명이, 머리가 산발이 된 혁이가 놀란 눈으로 날 쳐다보고 있었다. 그 뒤로 아무 상처도 없이 집을 나섰던 모습 그대로 가방을 메고 있는 할매가 보였다. 무사한 할매를 보자마자 주저앉았다. 놀란 할매랑 담임이 내 이름을 부르며 다가왔다. 놀란 할매가 내 볼을 잡는다. 결국 참았던 눈물이 터졌다. 눈물 콧물 쏙 빼놓을 정도로 형편없이 못생긴 얼굴로 울었다.

　- 할매. 할매애……

　쪽팔린 것도 없이 그냥 막 울었다. 친구들이 보고 있든 말든, 다른 사람들이 보고 있든 말든 엉엉 울었다. 그런 날 보고 할매는 말없이 안아줬다.

　- 꼴이 이게 뭐고. 내 새끼 얼굴이 이게 뭐고……

할매의 울먹이는 목소리와 따뜻한 품에서 어린애처럼 울었다. 아빠가 죽었을 때 이후로 처음이다.

겨우 진정하고 할매를 데리고 입원 수속을 밟으러 간 담임이 없을 때, 친구들이 눈치 보다가 뒷문을 나서고 어떤 일이 있었는지 알려 줬다.

- 도중에 도망치다가 대웅이가 둘로 나뉘자 해서 내랑 우명이는 가게로 가고, 대웅이는 담임한테 갔었다.

- 근데 이놈들이 우리를 쫓아왔다아이가! 예리한 새끼들. 내는 그 새끼들 막느라 얼굴이 이래된 거고.

- 그럼, 혁이. 점마 머리는 와 저 모양이가?

- 오지게 뛰어서 그런 거다. 저 새끼는 맞지도 않았다!

둘로 나뉘어 뛰다가 시껍면 녀석들 두 명이 쫓아와서 혁이한테 뒤도 돌아보지 말고 그대로 가게로 가라고 소리치고 몸으로 들이받았단다. 어른이라 그런지 몸이 무거워서 깜짝 놀랐다며 아무렇지 않게 말하지만, 그 당시엔 무서웠을 거다. 나도 그랬으니까. 조직원 남자 하나가 우명이 턱을 잡고 싸대기를 연신 때렸다고 한다. 어찌나 찰지게 때리던지 학주가 부채 접는 소리보다 청명했다고 웃으며 말했다. 나가떨어져서 헉헉거리고 있을 때 우명이 아버지가 부러뜨린 대걸레 대를 들고 경찰 아재들을 대동해 뛰어왔단다. 꼴에 경찰은 무서웠는지 도망쳤다는 말에 어이가 없었다. 혁이는 나도 위험하다면서 발을 동동 굴렀단다. 우명이는 눈물범벅이 된 얼굴로 빨리 나한테 가야 한다고 아저씨 소매를 잡고 늘어졌다고 했다.

비슷한 때, 학교로 달려간 대웅이가 교무실 문을 열어젖혀 담임을 찾았단다. 담임이 대웅이한테 한마디 하려고 회초리를 들고 다가왔는데, 평소 같으면 무서워서 피했을 것이 그때는 무섭지 않았단다. 회초리를 손으로 잡고 말까지 더듬어가며 도움을 요청했단다.

- 쌤! 지금 이럴 때가 아입니다! 태범이가 위험합니다!! 금마 삼촌이 깡패들 데려와가 태범이랑 할매를……

- 내 이 새끼 사고 칠 줄 알았다! 국어쌤 경찰! 경찰 부르이소!

담임은 대웅이 말을 끝까지 듣지도 않고 뛰쳐나갔다고 한다. 실내 슬리퍼를 신은 그대로 우리 집으로 쉬지 않고 뛰어왔단다. 뒷문을 벌컥 열고 들어가는 담임을 보고 대웅이는 경악했단다.

- 담임 장난 아니더라……

- 와?

- 문 열자마자 니 삼촌 들이 받았다. 괜히 체육이 아닌갑다….. '이윤재 이 개새끼야!' 하면서.

문 열자마자 각목 들고 있는 삼촌한테 냅다 달려들었단다. 놀란 남자 둘이 삼촌한테 달려들려는 순간 우명이 아버지랑 경찰이 도착해서 담임도 가벼운 타박상으로 끝났다는 말에 안심했다. 경찰이 등장하자마자 욕을 읊조리며 앞문으로 도망치려 하질 않나, 대웅이를 치고 뒷문으로 달아나려 하질 않나 물에 빠진 생쥐 꼴이 따로 없었다고 한다. 다행히 대문에도 경찰이 있어서 현장에서 삼촌을 포함한 조직원 5명을 전부 잡았다고 한다. 이번 사건으로 대룡파 검거 작전이 본격적으로 시작될 거라는 말에 셋이 하이 파이브까지 했단다. 나 빼고 신났다.

밤이 늦어 애들은 돌아가고 담임은 밥까지 챙겨주고 집에 가서 이 것저것 챙겨오겠다며 나섰다. 할매랑 둘만 남았다. 할매는 그제야 내 팔을 때렸다. 멍 들어서 아프건만 콕 집어서 거길 때린다. 아프다고 볼 멘소리를 내도 먹히질 않는다. 할매가 가방에서 상자를 꺼내 내 다리 위에 올린다.

- 땅문서! 무사했구나.

- 으이구. 할미가 바보 같더냐? 그런 곳에 땅문서 따위를 뒀을까. 진즉에 니 애비한테 맡겨놨다.

- 응?

- 니 삼촌이 첫날 집 뒤졌을 때, 진즉에 니 애비 납골당에 넣어두고 왔다. 이건 그냥 옛날에 니 애비가 받은 상장 모아놓은 봉투다.

할매 말에 머리가 얼얼했다. 너무 흥분한 나머지 두툼하고 낡은 봉 투만 보고 당연히 땅문서라고 생각했었던 것 같다. 통장이나 도장이 같이 있으니까 나도 모르게 당연히 그럴 거라고 생각했다. 알고 보니 그 도장이랑 통장도 아빠 거란다. 아무런 효력도 없는 물건이었다. 그 상자는 아빠 물건을 모아놓은 상자였다. 사람이 눈이 돌아가면 가족 도 못 알아본다는 말이 그냥 나온 말이 아닌 것 같다. 그리고 이미 첫 날 삼촌이 그 상자를 열어봤단다. 노랑 봉투 안에 든 아빠 상장들, 도 장, 통장 그리고 어릴 적 얼굴이 담긴 내 사진이 함께 있었다. 아빠 어 깨에 앉아 웃고 있는 내 사진. 삼촌도 이걸 봤다는 말이다.

우명이 아버지 도움으로 할매는 집으로 갔다. 필요한 물건 가지고 돌아올 테니 그때까지 담임 선생님 말씀 잘 듣고 있으라는 말을 남기고 떨어지지 않는 발걸음으로 연신 뒤돌아보다 아저씨 손에 이끌려 겨우 갔다. 그 대신 담임이 내 옆에 남았다. 어색한 침묵이 흐르다 담임이 먼저 내 뒤통수를 쳤다. 아파도, 안 아파도 때리는 건 여전하다.

- 갑자기 뭡니까?

- 네 덕에 심장 제대로 철렁했다.

담임은 내가 죽은 줄 알고 놀랐단다. 119 기다릴 시간이 어디 있냐고 냅다 업고 뛰면서 별의별 생각이 다 들었단다. 하마터면 아빠랑 한 약속 못 지키는 줄 알았다며 힘 빠진 목소리로 말했다. 도대체 무슨 약속을 했길래. 이제 말해줄 때도 되지 않았냐고 힘 빠진 목소리로 말해도 절대 말해주지 않을 거라고 선을 그었다. 찌그러진 깡통이 됐는데도 안 알려줄 거냐고 다친 몸을 약점 삼아 내밀어도 돌아오는 건 꿀밤뿐이다.

- 쓰러졌을 때. 꿈에서 아빠를 만났어요.

언덕 너머로 지는 노을, 선선한 바람에 섞인 옅은 알코올 향, 목구멍으로 술을 넘기는 아빠의 경쾌한 탄성. 이 모든 게 어우러져 괜히 마음이 노곤해졌다. 평상에 앉아 나는 아빠가 먹는 쥐포를 하나둘 질겅질겅 뺏어 먹는 그런 일상이었다. 그 장면 속에 나는 더이상 어린아이가 아니다. 18살 이태범이다. 커다랗고 두툼한 손으로 내 머리를 마구 헤집었다. 만약 아빠가 지금까지 살아있었다면 지겹도록 느꼈을 어지러움이 아닐까. 꿈속에서 아빠는 내게 잔소리를 퍼부었다. 쌈박질하고 다니고, 담임 말 안 듣는 놈이라며 꿀밤을 먹였다. 할매 속 썩이지 말라고 크게 한소리도 들었다. 그래도 그 말이 어찌나 듣기 좋든지 계속해 줬으면 했다. 꿈이 아니길 바랬다. 아빠는 조용히 머리에 손을 얹고 노을을 바라보며 말했다. 어쩐지 그 목소리가 축 처져있기도, 힘이 들어가 있기도 한 것이 묘했다.

- 태범아. 아빠 대신 할매를 부탁한다. 할 수 있제?

- 응. 내 할 수 있다.

할매를 부탁한다는 문장 안엔 많은 뜻이 내포된 것 같았다. 사고 치지 말고, 속 썩이지 말고, 할매랑 사이좋게 아빠 몫까지 잘 지내라는 의미 같았다. 새끼손가락 걸고 약속했다. 담임이 아빠의 약속을 지키듯 나도 이제부터 그러려고 한다. 이제 나한테는 할매뿐이다. 무슨 일이 있어도 아빠와의 약속을 지킬 거다.

경찰 아저씨가 갖다준 병 음료를 뜯어 마시며 담임이 물었다.

- 그래서 네 아빠랑 뭐 했는데?

- 약속했어요.

- 무슨 약속?

음료를 다 마셔갈 때쯤 커튼이 걷히고 할매가 들어왔다. 품에 들린 가방이 빵빵하다. 담임이 한 손으로 받아 들고 할매 앞으로 의자를 밀어줬다. 내 얼굴을 연신 만지며 괜찮냐고 묻는 할매를 눈에 담았다.

- 비밀인데요.

- 뭐 이 새끼야?

- 으악! 그런 게 있어요.

담임이 했던 말을 그대로 따라 해 복수했다. 담임이 아빠와 한 약속을 알려주면 나도 알려줄 의향은 있다. 들고 있던 빈 유리병으로 내 머리를 아프지 않게 퉁 때렸다. 할매는 놀래서 담임의 팔을 찰싹 때렸다. 스승님 이건 다 이유가 있다 아임니까 라며 투덜거리는 담임과 그렇다고 아픈 애를 왜 때리냐며 호통치는 할매를 바라보며 정말 오랜만에 진심으로 웃었던 것 같다. 이 시간이 앞으로도 쭉 지속됐으면 좋겠다.

바람 불지 않는 숲

박선자

박선자 삶 가운데 몇가지 이루고 싶은 꿈이 있습니다. 책쓰기 프로젝트 역시 제 꿈을 향한 실천의 일환이구요. 책을 통해 '자연과 공존'에 대해 이야기하고 싶었습니다. 함께 가치있는 삶을 살아가기를 원하며 훗날 '참 잘 살았다.' 말할 수 있도록 오늘 하루를 소중히 여기고자 합니다. 제 인생의 모토가 되어 준 글귀 '달팽이가 느려도 늦지 않다.'는 말처럼 꿈을 향해 더디더라도 꾸준하게 걸어가다 보면 언젠가 그 꿈에 닿아 있겠죠.

인스타그램: Instagram.com/joymccline

"특별히 민첩하지도, 강하지도, 번식력이 뛰어나지도 않았던 한 종은 어디에나 정착하여, 적응하고, 혁신해 지구 모든 곳에 자리를 잡으며 의도적으로 숲을 없애고, 생물권을 재편하기도 했다.

이때까지 어떤 생물도 그렇게까지 생태계를 바꾼 적이 없었다.

또 한 번의 대멸종을 불러온 이 종은 바로 호모 사피엔스다.

호모 사피엔스는 여섯 번째 대멸종을 일으키는 주체이기만 한 것이 아니라 자칫 그 희생자 중 하나가 될 수도 있다."

　- 여섯 번째 대멸종 중에서

1. 민석의 첫 번째 이야기

내선 전화가 울린다. 영서초등학교 앞 횡단보도 쪽에 로드킬 당한 고양이 사체가 있다는 생활민원과 주무관의 전화다. 회룡시 홍진구청 도시미관과 9급 공무원인 강민석은 점심시간이 가까워진 터라 벽에 걸린 시계를 본다.

11시 43분. 참 애매한 시간이다. 이때쯤이면 보통 환경미화원들이 퇴근했을 시간이다. 새벽 3시에 나와 오전11시까지 일하고 이미 퇴근한 환경미화원들을 로드킬 사체처리 때문에 호출할 수는 없다. 보통 오후에 신고가 들어오는 이런 종류의 일은 도시미관과에서 처리해야 한다.

진즉부터 점심먹으러 갈 생각에 엉덩이를 들썩 거리고 있던 팀장에게 관련사항을 보고하자 팀장은 귀찮은 일이 생긴 것 같은 표정을 짓는다. 팀장은 초등학생들이 고양이 사체를 보면 많이 놀랄 테니 하교하기 전에 얼른 처리하라고 지시했다. 그러기 위해선 지금 바로 출동해야 하는데 식사 전에 죽은 동물의 사체를 처리하는 일은 정말 비위가 상하는 일이다. 자신 말고는 달리 나갈 사람도 보이지 않는다. 세삼이 시간에 자신에게 전화를 돌린 생활민원과 주무관이 원망스럽다. 뚱한 표정으로 서있는 민석을 보고 팀장은 선심 쓰듯 일처리가 끝나면 시원한 콩국수를 사주겠으니 얼른 다녀오라고 등을 민다. 콩국수는 팀장의 최애 메뉴이지만 민석은 비릿하고 밍밍한 콩국수를 싫어한다. 그러나 모든 것을 자신의 뜻대로 관철시키고야 마는 팀장의 성격을 아는지라 아무 말도 못하고 그저 따라갈 뿐이다. 로드킬 사체 처리보다 점심메뉴가 더 맘에 안 든다. 속으론 이런저런 말이 부글부글 끓어오르지만 입 밖으로 꺼내진 못한 채 익숙한 듯 서랍에서 50L 종량제 봉투와 검정비닐봉투를 두어 장 더 챙긴다. 종량제봉투에 바로 넣으면 발톱 때문에 찢어져서 두 세장씩 겹쳐 넣어야 하기 때문이다.

사무실 문을 나서는 민석에게 팀장은 30분 내로 일처리하고 12시 20분까지 칼국수 집으로 오라는 말을 남긴다. 갑자기 머릿속에 Hawaii Five-O의 오프닝곡인 The Ventures가 들리는 것만 같다.

지구 온도가 해마다 상승한다더니 그것이 온 몸으로 체감되는 요즘이다. 장마 끝물인지 비는 그쳤지만 날씨는 덥고 습하다. 본격적인 더위가 시작도 전인데 벌써부터 숨이 막혀 온다. 구청에서 영서초등학교까진 도보로 15분 정도 걸려 날씨가 괜찮다면 운동 삼아 걸음직한 거리다. 그러나 덥고 습한 날씨에 거기까지 걸어갔다간 도착하기도 전에 옷이 땀에 절을 것이다. 무엇보다 12시 20분까지 식당으로 가려면 차로 이동할 수 밖에 없다. 제발 사체가 처참하게 훼손되지 않았기만을 바라며 아직 할부가 한참 남은 중고 레이를 타고 신고받은 장소로 이동했다.

노란 털을 가진 치즈태비 고양이가 누워있었다. 등 쪽엔 노란 줄무늬, 목과 배 쪽은 하얀 털을 가진 제법 덩치가 큰 녀석이다. 사고가 아니었다면 대장고양이도 될 것 같아 보였다. 머리를 바퀴에 치었는지 몸은 멀쩡하지만 머리 쪽이 깨져 뇌수와 한쪽 눈알이 튀어나와 있었다. 스쿨존이라 제한 속도가 30㎞/h인데 이 정도라면 오토바이나 속도위반 차량에 치었으리라 싶다.

죽은 고양이의 몸이 따뜻하다. 손끝에서 아직 식지 않은 체온이 느껴지니 맘이 아렸다.

'좋은 곳으로 가렴.'

동물들의 사체를 처리한 날은 종일 찜찜한 기분이다. 지난 4년간

이런 일을 한두 번 겪은 것이 아니지만 좀처럼 적응 되지는 않는다. 무뎌지려 몹시 애쓸 따름이다.

처음 현장에 투입되어 로드킬 사체처리를 하게 됐을 때 민석은 너무나 큰 충격을 받았다. 4년이 지났음에도 참혹하게 죽은 새끼고양이의 모습이 잊히지 않는다. 배는 하얗고 등 쪽이 까만 새끼고양이였다. 몸이 터져 내장이 쏟아진 채 길바닥에 뭉개져있었고 동그랗게 뜬 눈에 피가 흥건하였다. 옆에는 녀석의 어미인지 새끼고양이와 똑 닮은 털을 가진 고양이가 어찌할 바를 모른 채 위태롭게 차도 주변을 서성이고 있었다.

그 모습을 보자 16년 전 여름 교통사고로 돌아가신 엄마가 떠올랐다.

엄마는 횡단보도를 건너다 우회전하던 트럭에 치여 돌아가셨다. 공원에서 처음 자전거를 배웠던 날. 두 시간 동안의 사투 끝에 혼자서 자전거를 탈 수 있게 되어 얼마나 신이 났었는지 모른다. 아버지께서는 대견해 하시며 그 모습을 캠코더에 담고 계셨었다. 너무나 완벽한 하루였다. 음료수를 사러 가신 엄마가 쓰러지시기 전까지는.

죽은 새끼고양이의 모습에서 잊고 싶었던 그 일이 떠올라 민석은 견딜 수 없었다. 로드킬 신고를 한 중학생인 듯 보이는 여학생이 처리 과정을 지켜보며 울고 있었다. 어디로 신고해야 하는지 몰라 119에 신고했는데 119는 살아있는 존재를 대상으로 일하기 때문에 그들의 일이 아니라며 구청의 연락처를 알려주기에 연락했단다. 눈물 흘리고 있는 학생 앞에서 길거리에 널브러진 폐기물을 수거하듯 죽은 고양이를 눈삽으로 쓸어 봉투에 담는 자신이 나쁜 사람이 된 것 같아 민망하고 자괴감이 들었다.

불과 몇 분 전까지도 살아있었으나 지금은 생명이 끊어진 이 가련한 새끼 고양이와 애처롭게 주변을 서성이는 어미고양이에게 해줄 수 있는 것이 아무것도 없어서 마음이 아팠다.

하루 종일 로드킬 당한 새끼 고양이의 모습이 망막에서 지워지지 않아 힘들었다. 새끼고양이의 모습은 쓰러진 채 자신을 쳐다보던 엄마의 눈. 그 눈과 너무나 닮아 있었다.

이 일은 애써 지우고 싶었던 기억을 할퀴듯 끌어내어 초반에는 잠 못 이루는 날이 많았다. 이후로도 빈번하게 발생되는 동물 사체처리 업무로 민석은 심각한 정신적 고통을 받았다. 이직을 생각한 적도 한두 번이 아니었지만 묵묵히 자신을 뒷바라지 해주신 아버지를 생각하면 그럴 수는 없는 일이었다.

차량 교통사고로 처참하게 훼손된 동물의 사체를 직접 수거하는 것은 처리 과정 중에 2차 사고가 발생하기도 하는 위험한 일 일뿐더러 로드킬 당한 동물을 본다는 그 자체로 매우 힘든 일이다. 하지만 일단 민원이 접수되면 처리하지 않을 수 없기에 고통과 위험을 감수하며 처리할 수밖에 없다.

개선이 필요하다싶어 상부에 전문용역업체 위탁 등 근본대책이 필요한 상황이라고 건의 해보았다. 시 폐기물 담당부서 역시 이 같은 상황을 인식해 전문 용역업체 계약을 검토했지만, 현실성이 떨어진다는 결론을 내렸다. 회룡시의 넓은 면적에 비해 회룡시 전 지역에서 발생하는 로드킬 발생 건수가 낮아 용역업체들의 사업성이 떨어지기 때문이란다. 대신 현재 관련 업무를 진행 중인 직원 및 환경 미화원들이 심리치료를 받을 수 있게 조치하겠다는데 그것이 해결책이 될까 의구심이 들고 그마저도 언제 실행이 될지 요원하다. '빨리 빨리'의 대한민국에서 모든 것이 다 빨리 빨리 처리되는 것은 아닌 것 같다. 시스템 개선이 더디다면 차라리 민석 자신이 무뎌지는 편이 더 빠를 것이라 생각했다.

  '저것들은 그냥 쓰레기야. 좀 처리하기가 까다로운 쓰레기일 뿐이지'

  이렇게 생각을 바꾸는 편이 나았다. 4년이 지난 지금 무던히 노력한 결과 이제는 제법 마음을 다치지 않고 일처리를 하고 있다. 그에게 이런 일들은 단순히 쓰레기 치우는 것과 별반 다를 바 없이 진행된다. 실제로 야생동물 사체는 일반쓰레기 봉투에 넣어져 소각되니 딱히 틀린 것도 아니다. 보고서 작성을 위해 수습 전·후 현장사진을 찍고 있는데 마침 팀장에게 아직도 일이 안 끝났냐며 음식주문 해놨으니 얼른 오라는 재촉전화가 왔다.
  갑자기 짜증이 밀려왔다. 죽은 고양이 때문에 속상하고 싫으면 싫다 말하지 못하는 자신 때문에 짜증나고 밍밍한 콩국수가 떠올라 화가 났다. 입술이 통통 부어 오를만한 매콤한 음식이 당긴다. 아마 오늘 저녁도 매운 족발을 먹게 될 것만 같다. 팀장이 재촉하던 말던 담배 한 개비를 꺼내 물었다. 연기에 시름이 날아가길 바라면서.

2. 애자 할머니 이야기

정애자할머니가 걷기 운동을 하기 위해 성호빌라를 나섰다. 할머니는 두 달 전 넘어지면서 손을 잘못 짚었는지 왼쪽 손목이 골절되었다. 골다공증이 심해 쉽게 골절이 됐다는 소리를 들은 딸의 성화에 못 이겨 골다공증에 좋다는 식단과 함께 하루에 한 시간 회룡천을 돌며 걷기 운동을 하고 있다. 걷기 운동이라 봐야 대단할 것은 없고 일광욕을 겸해 천천히 산보하는 것인데 퇴원하고 나서부터 시간을 정해놓고 꾸준히 해오고 있는 일이다.

며칠 전부터 성호 빌라 뒤 덕암산이 개발된다는 이야기가 돌며 동네가 소란스럽더니 회룡천 교량 곳곳에 현수막이 걸려있다.

「시민에게 휴식과 쉼을 주는 덕암산 개발을 반대한다!」
「시민의 휴식처 덕암산을 사수하자!」
「여러분의 투표만이 덕암산을 지킬 수 있다.」

몇 미터 지나니 또 다른 현수막이 보인다.

「덕암산은 사유재산. 사유재산 침해 행위를 중단하라!」

「나쁜 투표, 착한 불참」

「대책없는 반대는 이제 그만」

정애자할머니가 사는 봉성동에는 해발 163m의 덕암산이있다. 덕암산은 회룡시 홍진구 봉성동과 상정동, 용일동에 걸쳐 있는 약 42만 ㎡ 면적의 도심 속 자연공원이다.

회룡시 도심에 거의 유일한 녹지공간으로 곳곳에 정자와 운동기구가 설치되어 있고 배드민턴장도 있어 많은 시민들이 산책과 여가활동을 위해 이용하고 있다.

또 야생동물에겐 더 없는 보금자리가 되어 이곳에는 고라니, 야생토끼, 너구리, 다람쥐, 삵과 같은 동물과 박새, 멧비둘기, 황조롱이, 새매, 딱따구리 같은 조류, 비오는 날 시끄럽게 울어대는 맹꽁이, 볼 때마다 식겁하게 하는 뱀들이 있어 도심 속에서 쉬 보기 힘든 자연생태계를 이루고 있다.

이런 덕암산에 2천여 세대가 넘는 대규모 아파트 단지가 들어선다는 이야기가 들린다.

푸른 숲 대신 아파트 빌딩 숲이 생기게 되었다. 환경보호단체와 인근 지역민들은 분노하며 개발 반대를 주장하고 있는 반면에 덕암산 토지 소유주들과 공인중개사들은 사유재산 침해라고 강하게 반발하고 있다. 덕암산 개발에 대한 찬반 의견이 팽팽히 대립하여 결국 회룡시는 도시공원 민간특례사업 진행 여부를 주민투표에 부치기로 했다. 그에 따라 벌써 특례사업 찬성과 반대 측 거리선거전이 시작된 것이다.

덕암산에 인접한 마을은 개발을 반대하는 입장이지만 그 외 다른 지역민들은 덕암산 개발에 별다른 감흥이 없다. 실제로 봉성동과 상정동, 용일동 이내만 벗어나면 현수막의 문구도 달라졌다.

「혈세 낭비하는 덕암산 개발 찬반투표를 반대한다!」

정애자 할머니는 봉성동이 행정개편 전 봉성리였을 때 시집을 와 그로부터 40년 넘게 이 동네에서 살았다. 먹을 것이 귀하던 시절 봄이면 덕암산의 산나물이나 고사리를 채취해서 먹기도 하고 혹독한 시집살이 때도 덕암산을 오르며 마음을 달래곤 했다.

신실한 불자이기도 한 애자할머니는 덕암산 끝자락의 작은 사찰 연불사에 불공을 드리러 갈 때도 가족들의 건강과 만사형통을 기원하며 덕암산 둘레길을 걸었다. 그때마다 행여 작은 벌레, 이름 모를 꽃이라도 밟게 될까 발끝을 얼마나 조심하며 걸었는지 모른다. 선한마음으로 인간만이 아니라 작은 미물 하나에도 사랑을 쏟아야 한다 생각하며 사는 할머니에게 덕암산이 사라진다는 것은 생각할 수도 없는 일이었다.

서둘러 귀가 후 함께 살고 있는 딸을 통해 환경단체에 연락을 해보았다. 현재 회룡시 환경운동연합 사무국장이 무기한 단식 투쟁에 돌입해 며칠째 단식 중이며 지역시민단체와 환경연합 회원들은 산을 찾는 지역민들에게 덕암산 개발 반대투표에 적극 동참해 줄 것을 홍보

중이라고 했다. 뜻이 있으시다면 함께 행동해주시길 요청한다기에 조만간 찾아뵙겠다는 내용으로 전화통화를 마친 이틀 후 정애자할머니는 환경연합회원들이 농성 중인 곳을 찾았다. 열대여섯 명의 사람들이 [SOS 덕암산], [덕암산 개발반대]가 쓰여 있는 피켓을 들고 등산로를 가로막고 있는 철조망 앞에 서 있었다. 시민단체와 환경연합 회원들의 농성에 반발해 덕암산 토지소유주협의회가 등산로에 철조망을 설치하고 시민들의 진·출입을 막았기 때문이란다. 철조망에는 현수막이 걸려 있다.

[50년 동안 공원 구역으로 지정되는 바람에 무너진 재산 가치는 어떻게 보상할 것인가!]

70m쯤 떨어진 등산로 역시 철조망이 설치되어 있었다. 아파트 쪽에서 올라오는 등산로는 철조망으로 다 막아 놓은 듯 했다. 그곳에는 개발찬성 입장을 가진 토지 소유주들이

[덕암산은 사유재산. 사유재산 침해 행위를 중단하라!]는 피켓을 들고 서있었다.

3층에 사는 최씨도 보였다. 최씨는 아들부부가 캐나다로 이민 간 후 홀로 성호빌라에서 살고 있는 70대 할아버지다. 평소에도 도심 공원일몰제가 해제된 지 언제인데 아직도 재산권을 행사하지 못하고 있다고, 돈이 있었으면 아들내외가 자신만 혼자 두고 캐나다로 이민가지 않았을 거라고, 재산이 없어 업신여김을 당하는 것이라고, 산을 가지고 있어도 팔아먹지도 못한다며 불만이 이만저만이 아닌 사람이었

다. 마치 자신의 불행을 덕암산에 돌리려는 것처럼.

정애자할머니가 환경연합 회원들과 이야기하는 모습을 본 최씨는 그녀가 산을 찾은 이유를 알겠다는 듯 인상을 쓰며 땅바닥에 가래침을 확 뱉었다.

정애자할머니 또한 얼굴이 화끈거리고 기분이 상해 얼른 자리를 떴다. 그들의 심정도 이해 못할 바는 아니다. 많게는 200년 전 부터 이 산의 소유권을 대물림 받은 이들도 있다고 하는데 재산권을 행하지 못하고 살았던 그들의 마음이 오죽 답답하고 분했을까. 하지만 그들이 나기 훨씬 전부터 덕암산은 그 자리에 있었다. 인간이나 작은 미물 모두 이 땅에 와 잠시 살다 가는 동일한 생명 가진 존재라고 생각하는 정애자할머니는 인간의 욕심과 욕망에 의해 스러지는 것들에 마음이 참담하고 착잡했다.

며칠 전 덕암산 농성현장을 찾은 후 정애자할머니는 자신이 할 수 있는 일이 무엇일지 생각해 보았다. 산이 개발되어 허물어지는 것은 생각도 하기 싫은 일이지만 토지소유주들의 입장, 정확히 말하면 하루에도 한두 번 이상 마주치는 3층 최씨를 생각하니 덕암산에서 환경보호단체와 함께 적극적으로 행동하기도 뭣한 일이었다. 아무리 생각해도 자신이 할 수 있는 것은 최씨를 피해 회룡천에 내려가 덕암산 개발 특례사업 반대를 호소하는 일 밖에 없었다.

6층에 사는 구청직원에게도 만날 때 마다 꼭 투표하러 가라고 신신당부를 했다.

날은 더웠지만 애자할머니는 매일 쉬지 않고 만나는 사람들에게 투표에 꼭 동참해줄 것을, 꼭 개발반대를 찍어주기를 호소했다.

3. 민석의 두 번째 이야기

오늘도 민석은 종일 업무에 시달렸다. 보통은 퇴근 후 간단히 저녁을 먹고 컴퓨터 게임을 하며 스트레스를 풀곤 하지만 오늘은 종일 컴퓨터 앞에 앉아 업무를 본 터라 머리도 식힐 겸 회룡천에서 조깅을 해야겠다 맘먹고 얼른 빌라에 들어섰다. 민석의 집은 엘리베이터도 없는 빌라 맨 꼭대기 601호이다.

강민석은 4년 전 구청에 9급 공무원으로 입직하면서 이곳 성호빌라에 터를 잡았다. 군 제대 후 처음 외아들을 독립시키는 아버지께서 민석의 이사를 함께 도왔다. 허름한 빌라지만 자신만의 공간이 생겼다는 것이 퍽 기뻤다. 더욱이 동네 주변을 둘러보신 아버지께서 뒤에 푸른 산이 있고 앞에 하천이 흐르니 그야말로 배산임수라면서 민석이네가 앞으로 하는 일들이 술술 잘 풀릴 것 같다는 말씀까지 더해주시니 세상 다 가진 느낌이었다. 민석이 초등학교 3학년 때 홀로 되신 후 혼자서 자신을 돌보신 아버지께 이제 효도할 일만 남았다 싶었다.

그렇게 4년이 흘렀다. 동기들은 8급으로 승진했지만 민석은 아직도 9급이다.

아버지께 효도하겠다는 다짐은 굳건하건만 실행은 언제 쯤 일런지 요원하다. 배산임수에 풍수지리가 좋으면 이 동네 사람들은 모두 다

일 잘 풀리고 부자가 되어야겠지만 그렇지 않은 것을 보면 배산임수는 수렵채집생활하던 때나 적용되는 말이 아닐까 의문이 든다.

민석이 사는 봉성동은 회룡시 중에서도 개발이 늦은 편에 속해 불과 십수 년 전만해도 아파트는 두 단지 밖에 없었고 주변이 온통 논이었던 변두리 마을이었다. 그러던 차에 대한민국 굴지의 기업이 회룡시로 사업장을 이전하게 됐고 이후 많은 인구가 유입되자 회룡시에는 건축붐이 일었다. 봉성동에도 많은 아파트들이 들어섰다. 그러나 종합적인 계획 없이 이루어진 난개발로 30층 아파트와 오래된 주택가와 슬레이트 지붕의 낡은 폐가들이 섞여있는 모습을 이곳에서는 어렵지 않게 볼 수 있다. 다른 곳에 비해 개발이 덜 되었지만 민석이 이곳에 터를 잡은 까닭은 바로 집 뒤에 덕암산이 있었기 때문이다. 그러나 그 4년 동안 민석이 덕암산을 올라가본 것은 고작 3번 뿐이다. 등산을 싫어한다거나 하는 별다른 이유는 없다. 그냥 바쁘게 살다보니 그런 것뿐이다. 산을 자주 찾지는 않지만 집 뒤에 산이 있는 것은 퍽 좋은 일이다.

산을 꼭 올라가야만 제대로 즐기는 것이겠는가? 민석의 작은 행복은 계절마다 바뀌는 산의 풍경을 보며 담배 한 개비를 태우는 것이다.

곳곳에 등산객들의 부지런한 발걸음이 만들어낸 가르마 같은 구불구불한 등산로가 나 있고 고라니들이 컹컹 소리 내며 뛰어다니는 것을 어렵지 않게 볼 수 있는 이곳은 회룡시의 허파 같은 곳이다.

얼른 트레이닝복으로 갈아입고 집을 나선 민석은 빌라 입구에서 1

층 애자할머니를 만났다.

"총각, 다음 주에 투표있는거 알지? 바쁘더라도 꼭 투표에 참여해야해"

애자할머니는 근래에 마주칠 때 마다 민석에게 덕암산 개발반대 투표에 꼭 참여하라고 신신당부 했다. 이 날도 어김없이 인사말처럼 투표하라는 말씀에 민석 역시 정해진 답변마냥 꼭 투표하겠다며 회룡천으로 향하는 데 등 뒤에서 3층 할아버지의 고함소리가 들렸다.

"저 할망구가 노망이 났나? 뜨신 밥 먹고 뭔 지랄을 했쌌는가"

애자할머니의 투표독려 소리를 3층 베란다에서 들었나보다. 평소에도 1층 애자할머니가 덕암산 개발 반대에 목소리를 냈던 것이 3층 최씨 할아버지 보기에 심히 거슬렸던 참인데 밖에서 나는 소리를 듣고 최씨 할아버지의 부아가 치밀었던 것이다. 괜시리 민석까지 곤란해졌다. 덕암산 개발로 친근하던 이웃 간의 사이까지 틀어지고 있다.

몇 주 간의 소란 끝에 6월 28일 드디어 덕암산 개발 찬반 투표가 실시되었다.

투표권자 3분의1이 투표를 해야 유효투표로 인정되며 그 중 과반수가 넘는 의견으로 찬반이 확정된다. 투표 결과에 따라 민간공원 특례사업이 추진되거나 백지화되거나 한다.

민석도 덕암산 개발에 반대하는 입장이라 바쁜 와중에도 투표소에 가서 권리를 행사했다.

그러나 결과는 투표율 미달로 개표자체가 되지 못했다. 총 투표권자의 9.7%만이 투표에 참여해 대표성을 인정받지 못하고 결국 덕암산 개발로 가닥이 잡힌 것이다.

공사는 다음 달부터 바로 진행되었다. 산을 끼고 있어 조용했던 봉성동이 하루 종일 벌목작업으로 소란스럽다. 벌목용 엔진톱의 윙윙거리는 소리 몇 번에 수령이 몇십 년 된 상수리나무가 쓰러지고, 새들도 어지럽게 날며 울어댔다.

덕암산에는 지름 둘레가 150cm이상 되는 상수리나무를 비롯해 이팝나무, 벚나무, 단풍나무 아카시나무, 리기다소나무 등이 있다. 계절마다 아름다운 풍광을 자랑했던 덕암산의 나무들이 속절없이 베어 쓰러져갔다. 공사장 소음에 문을 열수가 없다. 소음도 소음이지만 하루하루 변해버리는 산의 모습을 보는 것은 너무나 속이 쓰린 일이다. 7월 녹음이 푸르렀던 덕암산 자락이 몇 주 만에 민둥산이 되었다.

여름철 아파트 공사는 아침 7시부터 시작된다. 주말아침 늘어지게 자고 싶었으나 민석은 공사장 덤프트럭 엔진소리에 눈을 떴다.

'도대체 왜 주말까지 공사를 하는 거지?'

평소 민원에 시달릴 때가 많아 민원을 직접 넣어 본적은 없지만 사람들이 왜 민원을 넣는지 이해가 되는 순간이다. 출근을 하면 생활민원과에 바로 민원을 넣어야겠다 다짐하며 다시 눈을 붙여보지만 이미 깨버린 잠은 오지 않았다. 동향인 빌라 유리창에 벌써 아침햇살이 들어와 실내온도를 높이고 있다. 창문을 열려다 공사장 소음과 분진 때문에 포기하고 말았다. 오늘도 선풍기만 온종일 더운 바람을 내며 열일하게 생겼다.

씨리얼로 간단히 아침을 때우려는데 씽크대 앞에 난 작은 유리창으로 덕암산 공사현장이 보였다. 그동안 이 작은 창을 통해 숲에 물든 계절의 변화를 보는 것은 소소한 기쁨이었다. 새싹 움트는 연두빛의 봄날과 연한 잎들이 단단해지며 짙은 녹음을 뿜어내는 여름, 나무꼭대기서부터 노랗게 빨갛게 서서히 물들어 멋들어진 단풍을 보여주는 가을 그리고 잎사귀 떨군 나목에 하얀 눈이 쌓였던 겨울. 습관처럼 창밖을 보다 그러한 풍경을 이제 다시 볼 수 없다는 것에 큰 상실감이 들었다.

월요일 출근 후 민석은 생활민원과를 찾아갔다. 주말에도 진행되는 아파트 공사 관련 민원들이 어떻게 처리되고 있는지 알아보고 싶어서였다. 이미 인근 주민들이 여름철 창문을 열지 못할 정도로 소음과 분진피해가 심각하다며 구청뿐만 아니라 시청에도 많은 민원을 넣은 것을 확인할 수 있었다. 그러나 형식적인 처벌 수위 탓에 상황은 좀처럼 개선이 되지 않고 있다고 한다. 기준 소음 초과에 과태료를 부과해도 60만 원에서 최대 300만 원에 불과해 해당 시행사와 시공사는 아랑곳 않고 공사를 강행하고 있다는 것이다. 해당현장도 소음과 분진피해로 여러 건의 민원이 접수가 되었고 시공사에서 벌써 1차 과태료 60만원을 낸 상태라고 한다. 공사규모에 비하면 과태료가 너무 낮으니 개선이 잘 안된다며 지역민이 계속 민원을 넣을 수밖에 없다는 얘기를 들었다. 시행사나 시공사 모두 분양과 기업이미지를 생각해서라도 개선하지 않겠느냐는 것이다. 민석은 개선이 될 때까지 부지런히 민원을 넣으리라는 오기가 생겼다.

4. 순덕의 이야기

김순덕은 몇 년 전 아이들의 성화에 못 이겨 펫샵에서 강아지 두 마리를 산 적이 있었다.

처음부터 두 마리를 사려고 했던 것은 아니다. 제 때 팔리지 못해 덩치가 커진 새끼 강아지를 반값에 깎아 줄 테니 함께 들이라는 권유에 못 이겨 그리한 것인데 사실 펫샵 주인의 강한 권유나, 반값이라는 가격보다 순덕의 마음을 움직인 것은 애처로운 표정으로 자신을 바라보던 강아지의 눈망울 때문이었다.

한 마리는 시츄였고 한 마리는 갈색 토이푸들이었다. 시츄의 이름은 예삐, 갈색 토이푸들의 이름은 초코. 불쌍한 표정으로 순덕의 마음을 움직였던 녀석이 바로 초코다. 예삐와 초코가 순덕의 집에 처음 왔던 날 두 녀석은 프로펠라처럼 꼬리를 붕붕 돌리며 신나했었다. 그러나 예삐와 초코는 순덕의 집에서 채 한 달을 살지 못하고 파보라는 질병으로 병원 치료를 받다 병이 발견된 지 이틀 만에 차례로 세상을 떠났다.

동물병원 수의사는 예삐와 초코를 보호소에서 데려 왔느냐고 물었다. 그 날 두 아이를 들인 상황을 이야기하던 순덕은 너무 신나 제자리에서 빙그르 돌던 아이들의 모습이 떠올라 눈물이 났다. 파보는 주로 어린 개에서 출혈성 장염을 일으키는 급성 위장관 질환으로 한번 걸리면 치료가 쉽지 않고 급사할 가능성이 높은 질병이다. 예방접종을 하지 않거나 면역력이 약한 어린강아지들에게 특히 위험한 질병인데

잠복기가 있어서 펫샵에서 데려왔었을 당시에는 증상이 발현되지 않았을 가능성이 높다고 했다. 최소한 반려동물을 판매하려면 예방접종은 했어야 됐다는 수의사의 말을 듣고 순덕은 무책임한 펫샵에 화가 치밀었다. 곧장 달려가 따지려다 예삐와 초코를 애도하는 것이 먼저라는 생각이 들어 마음을 접었다. 얼마나 됐다고 고새 정이 들었었는지 새끼 강아지들을 떠나보낸 후 한동안 많이 힘들었다. 설거지를 하다가도 주책스럽게 눈물을 흘리곤 했다.

워낙에 순덕은 동물을 싫어했었다. 아이들이 몇날 며칠 동안 조르는 터에 할 수 없이 강아지를 들였지만 이렇게 맘고생을 심하게 할 것 같았으면 좀 더 강경하게 반대하지 못한 것을 후회할 때도 있었다. 예삐와 초코를 떠나보낸 후부터 산책할 때마다 자꾸 비슷한 강아지들이 눈에 밟혔다.

그런데 참 이상한 일이다. 갑자기 동물에 대한 측은지심이 생긴 것인지 강아지뿐만 아니라 이따금씩 보이는 길고양이들까지 그렇게 안쓰러울 수가 없었다. 장마가 지나 본격적인 더위가 시작됐던 어느 날 분리수거를 하러 쓰레기장에 갔다가 마침 쓰레기봉투를 찢으며 먹을 것을 찾고 있는 비쩍 마른 고양이 한 마리를 보게 됐다. 순덕의 등장에 놀란 고양이는 펄쩍 뛰어올라 꽁지가 빠지게 도망갔다. 도대체 이 고양이는 무어 먹을 게 있다고 쓰레기봉투를 찢었을까 싶어 찢긴 부분을 설핏 보니 생선비린내가 나는 비닐봉투가 있었다. 아마도 고등어를 쌌던 것이었나 본데 녀석은 이 비닐봉투의 비린 냄새에 이끌렸던 모양이다.

곧바로 아파트 앞 편의점에서 고양이 사료를 구입한 후 분리수거장 뒤편에 약간의 물과 함께 두었다. 다음날 쓰레기장 뒤편을 살피니 플라스틱 그릇에 민달팽이들이 너댓마리 붙어있고 녀석들이 얼마나 사료 위를 기어 다녔는지 반이나 남은 사료는 달팽이들의 점액으로 범벅되어 있었다. 분리수거장 벽면에도 많은 달팽이들이 붙어있다. 그늘지고 습한 곳이라 달팽이들이 서식하기에 좋은 환경이었다. 도무지 고양이들이 먹을 수 없을 것 같아 화단 곳곳에 흩뿌리니 파란 깃을 가진 물까치가 푸드득 날개짓을 하며 사료알들을 쪼아 먹었다.

집에 들어와 바로 인터넷 검색을 했다. 「여름철 개미나 달팽이들로부터 고양이 사료를 안전하게 지키는 법」으로 검색을 하니 많은 정보들이 올라왔다. 민달팽이를 퇴치하기 위해서는 그릇 주변에 소금을 뿌려 놓으란다. 개미가 사료 안에 들어가는 것을 막기 위해서는 사료그릇보다 더 큰그릇을 준비하여 물을 부은 후 그 안에 사료그릇을 두면 개미가 들어오는 것을 막을 수 있다고 한다. 마치 예전 전쟁을 치를 때 성벽주변에 해자를 만들어 적이 성벽을 타고 올라오는 것을 막는 원리와 비슷한 듯 했다. 민달팽이들이 사료를 탐하는 것을 막기 위해 쟁반에 굵은 소금을 부어놓고 그 위에 큰 락앤락 반찬통을 두어 물을 부은 후 본죽 플라스틱 그릇에 사료를 담고 옆에 물그릇도 준비하였다. 부피가 제법 커졌다.

다음날 민달팽이들을 제대로 퇴치했는지 궁금함과 기대를 안고 분리수거장 뒤편을 향했다.

누군가 몹시 거슬렸었나보다. 그릇들은 죄다 엎어져 있고 사료도 아무렇게나 흩뿌려져 있었다. 그 위에 민달팽이들은 다글다글 모여 사료파티를 즐기고 있었다.

그날 저녁 아파트 관리사무소에서 길고양이에게 밥 주지 말라는 안내 방송이 나오더니 이윽고 다음날 엘리베이터에 길고양이에게 사료를 주지 말라는 공고문이 붙어 있었다. 혹시나 싶어 아파트 입주민 카페에 들어가 보니 누군가가 분리수거장 뒤에 마련해둔 고양이사료 사진을 찍어 올려놨다. 그 사람이 관리사무소에 민원을 넣은 이와 동일인임을 알게 됐다. 그 날 이후로 고양이 급식을 주기 위한 김순덕의 007작전이 시작되었고 그 과정 중에 자연스럽게 고양이의 습성과 생리에 대해 조금씩이나마 알게 됐다. 그런 다음 아파트 관리소장을 찾아가 어떤 내용의 민원이 제일 많았는지 물었다.

'아기 울음소리와 같은 고양이 울음소리가 싫다.'

'주차장 곳곳에 고양이 똥이 있어 지저분하다.'

'쓰레기봉투를 뜯어 주변이 지저분하다.'

'고양이 사료를 주니까 고양이들이 아파트 단지에 많이 들어오는 것 아니냐'는 의견들이 많이 들어왔다고 한다.

순덕은 관리소장에게 읍소했다.

'앞으로 주차장을 돌며 고양이 똥을 치우겠다. 아기 울음소리 같은 고양이 울음소리는 발정기때 나는 소리임으로 중성화를 실시하겠다. 쓰레기봉투를 뜯는 것은 먹을 것이 없어서이기 때문에 오히려 사료를 준비해두면 그런 일은 없을 것이다. 사람들 눈에 띄지 않는 곳에 사료를 두겠다. 앞으로 책임지고 이 일을 할 테니 고양이에게 사료 주는 일을 묵인해달라' 부탁했다.

관리소장은 자신도 집에 고양이를 키우기에 심정적으로는 이해하나 민원이 들어온 이상 자신이 어떻게 할 수 없다며 이러지도 저러지도 못하고 곤란해 했다.

그날 이후 순덕은 주차장과 산책로를 돌며 똥을 치웠다. 그것이 고양이 똥이던 강아지 똥이던 가리지 않았다. 눈에 띄지 않는 바위 뒤에 급식소를 만들어 깔끔하게 관리했다. 물론 이후로도 몇 번이나 급식소가 엉망이 되기도 했지만 순덕은 그럴수록 열심히 그 일들을 해왔다. 급식소 옆에 통 몇을 두어 잡힌 고양이들을 중성화하기도 했다. 보통 길고양이는 중성화후 수컷은 하루, 암컷은 사흘 만에 방사된다. 그 과정 중에 수컷 고양이 두 마리와 암컷 고양이 한 마리가 잘못 되기도 했다. 그럴 때마다 인위적인 중성화수술이 옳은 일인가 자괴감이 들었지만 공존을 위해선 어쩔 수 없는 선택이라고 마음을 다잡았다.

그러기를 수개월. 아파트 주민들의 인식이 조금씩 달라짐을 느꼈다. 응원하는 사람들도 생겼다. 물론 모든 사람들이 김순덕을 지지하는 것은 아니지만 이제는 대놓고 민원을 제기하는 사람은 없다. 아슬아슬하지만 그럭저럭 조심스러운 공존이 시작되고 있었다. 김순덕은 이나마도 감사하게 생각했다. 그런데 요즘 들어 부쩍 아파트 단지에 못 보던 고양이들이 눈에 띄었다. 덕암산 개발로 주변이 어수선해지자 산 속에 거하던 고양이들이 마을까지 내려온 모양이다. 김순덕은 문득 궁금해졌다. 고양이들이야 아파트 단지나 민가로 내려온다지만 덩치가 큰 고라니나 다른 야생동물은 지금 어디로 갔을까?

5. 민석의 세 번째 이야기

굴착기를 실은 덤프트럭과 중장비들이 쉴 새 없이 움직이고 흙을 실은 트럭이 부지런히 왔다 갔다 하니 산 하나가 금세 없어졌다. 보금자리를 잃은 야생동물들이 근처 아파트 단지에 출몰하거나 로드킬을 당하는 일이 많아졌다. 하루에도 수차례 로드킬 신고가 들어온다. 민석의 업무도 덩달아 늘고 있다. 입추가 한참 지났지만 여전히 한 낮 불볕더위에 숨이 막힌다. 지구온난화로 평균기온이 상승했다고 하더니 그 말이 참말인 듯 싶다. 그래도 아침저녁은 더위가 한풀 꺾이고 이따금 선선한 바람도 분다. 너무 더워 사람이 개처럼 엎드려 지낸다는 복날 중 말복이 아직 오지도 않았는데도 입추라 하여 가을에 들어섰다 말하는 것을 조상님들의 정신승리라고 생각했는데 그렇게 또 가을이 오고 있긴 하나보다.

토요일 이른 아침. 날이 덥기 전 조깅을 하려고 회룡천에 내려가던 중 스크린골프장 옆 쓰레기를 모아둔 곳에 뭔가 널브러져 있다. 가까이서 보니 쓰레기가 아니라 제법 큰 고라니 사체였다. 2~3m 떨어진 바닥에 핏자국이 있다. 새벽녘 차에 치인 고라니를 누군가 쓰레기 봉투 옆에 버리고 간 모양이다. 어째서 고라니가 여기까지 내려와 차에 치었을까 둘러보니 바로 옆에 푸른 풀이 무성한 공터가 있다. 이 공터는 건물이나 어떤 구조물이 들어서기도 애매한 삼각형 모양의 조그만 빈 땅이다. 먹을 것이 부족해진 고라니가 멀리서 풀이 무성한 공터만 보고 내달리다 차에 치었었나보다. 마음이 먹먹하다. 차라리 보지 않았으면 마음이 편하련만.

시계를 보니 아직 7시가 되지 않았다. 이 지역을 담당하는 환경미화원들이 곧 쓰레기를 수거하러 올 것이기에 별다른 조치 없이 자리를 떴다.

조깅을 하는 내내 가슴팍에 바윗돌을 얹은 것 같았다. 답답한 마음을 풀어내지 않고는 견딜 수 없을 것 같아 '아악!, 악!' 고함을 지르며 달리자 주변 사람들이 민석을 이상한 눈으로 쳐다봤다. 평소 소심해서 남의 이목 끄는 것을 싫어하지만 지금은 어쩔 수 없다.

그렇게 요란한 조깅을 마친 민석은 혹여 고라니사체를 다시 보게 될까 일부러 다른 길로 돌아왔다. 하루의 시작이 엉망이 된 것 같다. 뭔가 활력있는 생활을 하고자 조깅을 시작했으나 차라리 오늘은 아니 한만 못했다는 생각이 든다.

6. 순덕의 두 번째 이야기

아파트 단지 내에 고양이 급식소를 설치하고 1년여 간의 아슬아슬한 평화를 유지하였었다.

그러나 낯선 고양이들이 아파트 단지 안에 들어오자 고양이들의 영역 싸움이 다시 시작되었다. 더군다나 새로 들어온 녀석들은 중성화가 되어 있지 않아 더욱 더 맹렬하게 싸웠다.

순덕은 모든 것이 리셋되어 처음부터 다시 시작하는 기분이었다. 우선 해야 할 일은 새로운 고양이들이 아파트로 유입되지 않도록 아파트 단지 밖에 새로운 급식소를 설치하는 것이었다.

순덕은 아파트 옆 맑은물사업소 주변 이제는 낡아 사용하지 않는 계단 밑에 길고양이 급식소를 하나 더 만들었다. 매일 아파트와 계단 밑 급식소 두 곳을 돌며 사료가 바닥나지 않도록 살폈다. 시간적으로도 육체적으로도 메이고 고단해 괜히 이 일을 시작했다 싶은 후회가 들 때도 있지만 순덕의 발걸음을 알고 급식소 주변에 앉아 자신을 기다리는 아이들을 보면 그런 생각은 쏙 들어가고 다시금 애정과 책임감을 가지고 돌보게 되었다.

그러던 어느 날 계단급식소를 들여다보고 있는 낯선 뒷모습을 발견했다.

이곳은 근처에 산책로가 있어 많은 사람들이 오가는 곳이기는 하지만 일부러 계단 밑까지 들여다보는 사람은 많지 않은 곳이다. 혹 고양이들을 해코지하거나 급식소가 못마땅한 사람인가 싶어 순덕은 긴장하며 다가가니 60대 중후반으로 보이는 할머니가 작은 접시에 고양이들이 즐겨 먹는 참치캔을 부어 놓고 아이들이 먹는 모습을 흐뭇하게 지켜보고 있었다.

온 몸이 노란 치즈태비와 얼굴에 갈색과 검정색이 절묘하게 섞인 삼색 고양이가 찹찹 소리를 내며 아주 맛나게 먹고 있었다. 할머니는 순덕더러 급식소를 관리하는 캣맘이냐고 물었다. 순덕은 평소에도 캣맘이라는 말을 싫어했다. '맘'·· 엄마라는 말이 주는 책임감과 부담감이 싫어서였다. 순덕은 자신을 길고양이 돌보미라고 소개했다. 할머니는 아파트 바로 아래 성호빌라에 사는 사람으로 평소에 이 곳을 지나다니면서 어떤 맘씨 좋은 분이 이렇게 살뜰히 고양이들을 돌보나 궁금했었노라며 반가워했다. 순덕의 손을 덥석 잡으며 혼자 길고양이 급식소를 돌보면 힘들 테니 자신이 함께 돌봐도 되겠냐 물으며 함박웃음을 지었다. 순덕은 아직은 살 만한 세상인 것 같다는 생각이 들었다. 할머니의 웃음에 마음이 따뜻해짐을 느끼며 서로 연락처를 공유하고 이름도 저장 하였다. 할머니의 이름은 정애자다.

7. 애자 할머니의 두 번째 이야기

그렇게 한해가 지나고 새로운 겨울이 되었다. 아파트 부지는 터파기를 끝내고 2층까지 철골작업을 마친 상태다. 그러나 언제부턴지 공사가 중단된 채 진행되지 않고 있다. 땅이 얼어붙은 것처럼 십여 대의 타워크레인이 움직이지 않더니 그마저도 이제는 해체되어 보이지 않는다. 아파트 건설현장이 대규모 미분양과 부동산 경기 하락에 휘청이더니 자금력이 취약한 건설사의 부도로 수개월째 공사가 진행되지 못하고 있다. 땅도 얼어붙고 경기도 얼어붙고 아파트 공사도 얼어붙었나보다. 공사가 다시 진행될 수 있을지는 요원하다. 회룡시에서도 외곽에 속해 발전이 더딘 동네였지만 덕암산과 회룡천으로 인해 아늑한 맛이 있었던 봉성동이었다. 그러나 병풍처럼 마을을 둘러싸고 있던 덕암산이 무너지고 공사가 중단된 봉성동은 삭막하기 그지없다.

요즘 따라 계단 밑 길고양이 급식소에 사료가 빨리 없어진다. 수시로 급식소를 들여다보며 자동급식기에 사료가 바닥나지 않도록 채워 놓는 것이 요즘 정애자할머니의 일상이다. 평소처럼 애자할머니는 장바구니 캐리어에 고양이 사료와 물 그 밖의 간식들을 챙겨 급식소로 향했다. 여느 때 같으면 애자할머니의 발걸음소리를 알아듣고 모여들 고양이들이 웬일인지 오늘은 한 마리도 보이지 않았다. 의아해하며 급식소를 들여다보니 군데군데 털이 빠진 너구리 한 마리가 사람이 가까이 온 것도 모르고 허겁지겁 정신없이 고양이 사료를 먹고 있었다. 그러다 갑자기 정애자할머니를 발견하곤 놀라 튀어 오르다 급식소를 난장판으로 만들었다. 놀라기는 애자할머니도 마찬가지였다. 고양이가 한 마리도 보이지 않았던 것이 이제야 이해가 되었다. 고양이 사료를 얼마나 뺏어 먹었는지 살이 쪄 뒤뚱뒤뚱 도망가는 뒷모습이 제법 덩치가 커 보였다. 혹시나 고양이들을 해치지는 않을까 염려되는 마음에 서둘러 급식소를 정비하고 집에 들어와 딸과 함께 너구리의 습성에 대해 조사해 보았다.

너구리는 개과에 속하는 동물 가운데 겨울잠을 자는 유일한 동물이라고 한다. 보통 11월 중순에서 3월 초순까지 동면한다는데 녀석은 아마도 서식지가 파괴되어 겨울임에도 동면하지 못하고 민가근처까지 내려온 것 같았다. 다행히 너구리는 고양이보다 행동이 느려 고양이가 습격당할 일은 별로 없을 것 같아 한시름 놓였다. 산이 없어지니 동면할 곳도 먹을 것도 없어 이곳까지 내려 온 너구리가 안쓰러웠다. '그래, 사료야 좀 더 챙겨놓으면 되지.'

이후로도 산책하는 동네 사람들에게 너구리는 자주 그 모습을 들켰다. 맑은물사업소 옆 계단에서만 보이던 너구리가 이제는 아파트 단지까지 들어갔는지 정애자할머니를 아는 사람들은 너구리의 근황을 자주 전해주곤 했다. 처음에는 다른 녀석인가 싶었지만 털 빠진 부분과 상태를 듣자하니 일전에 만난 그 녀석인 것 같았다. 그 녀석이 아파트 단지 안에 있는 급식소도 들른 모양이었다. 김순덕집사 말로는 그곳에 꽤 자주 출몰하는데 털 빠짐이 점점 심한 것이 고양이에게도 좋지 않을 것 같다는 말을 했다. 뭔가 조치가 필요했다.

며칠 후 아파트에 너구리가 나타났다는 순덕집사의 연락을 받고 애자할머니는 녀석이 있는 곳으로 갔다. 화단에는 오랜만에 뜬 해가 반가운지 눈을 감고 몸을 녹이고 있는 너구리가 있었다. 한 달여 사이에 녀석은 많이 상해있었다. 통통했던 모습은 어디가고 비쩍 마른데다 피부병이 더 심해졌는지 몸 곳곳에 털이 빠져 있었다. 드러난 피부는 피딱지가 앉았고 군데군데 돌덩이처럼 딱딱하게 굳어있는 모습이 얼핏 보아도 심각해 보였다. 이대로 둘 수 없겠다싶어 시청야생동물보호센터에 신고 후 센터 직원들이 나와 통 덫으로 유인해 녀석을 잡는 모습을 지켜 보았다.

얼마나 사납고 거칠게 몸부림쳤는지 덫에 갇힌 녀석의 콧등이 까져 선홍빛 피가 맺혔다. 녀석은 암컷으로 개선충증에 감염되었다고 한다. 개선충은 기생충, 진드기 등을 통해 옴이라는 질병을 일으키는 병원충인데 이 병에 걸리면 정상적인 먹이활동을 못해 체중 감소와 탈수로 이어져 영양결핍, 면역력 저하, 저체온증이 발생할 수가 있다고 했다. 가려움증 증상이 심하면 너구리가 자기 피부를 씹고 뜯고 긁으며 털까지 뽑아낸다고 했는데 이 녀석의 상태가 딱 그러했다. 자연 속에 있어야 할 너구리를 보호소에 보내는 것에 잠시 미안한 마음도 들었지만, 마땅히 해야 할 일을 한 것이라 생각했다. 날씨도 추운데 아무 먹을 것 없는 야생에서 힘들게 사는 것보다 보호소에서 먹는 거라도 잘 먹고 덜 추우면 그것으로도 됐다 싶은 마음이었다. 야생동물보호센터 직원말로는 개선충이 심한 너구리는 대개 안락사를 시킨다고 했다. 안락사 그것 까지는 생각하고 싶지 않았다.

8. 그들의 이야기

올해 크리스마스는 눈을 볼 수 없을 것 같다는 기상캐스터의 말이 들려온다.

대신 많은 비가 예상된다고 한다. 이상기온으로 겨울 내내 강한 추위와 봄날을 방불케 하는 날씨가 번갈아 나타나고 있으며, 큰 눈이 쏟아지다 비가 오다를 반복하는 극단적이고 변덕스러운 날씨는 한동안 계속되겠다고 한다. 이런 기상이변은 비단 우리나라뿐만 아니라 전 세계에서 빈번하게 발생하고 있으며 그 강도 역시 심화되고 있다고 전했다.

쓸쓸한 뉴스다. 지구가 탈이 났나 보다. 장마도 아닌데 이상고온에 겨울호우로 요란스러운 비가 창문을 때린다. 성인이 되고 나선 눈 오는 날이 싫었지만 민석은 오늘만은 왠지 눈이 내렸으면 했다. 오늘은 크리스마스 이브이기 때문이다. 여친도 없고 달리 만날 이도 없기에 눈이라도 내리면 덜 외로울 것 같았다. 예전에는 곳곳에 트리가 세워지고 캐롤이 울려 퍼져 그나마 크리스마스 기분을 낼 수 있었는데 경기가 나빠진 이제는 어디서도 캐롤조차 들리지 않는다. 건강이 염려되어 한동안 끊었던 담배가 너무나 당기는 날이다. 아무날도 아니라면 차라리 마음이 덜 울적할 텐데 크리스마스라고 하니 민석은 평소보다 두 배는 더 울적한 것 같다.

편의점에 갈 참으로 밖에 나오다 마침 1층 공동현관에서 대화중인 애자할머니와 3층 최씨 할아버지를 만났다.

최씨 할아버지는 덕암산 개발로 보상금을 두둑하게 받은 것으로 소문이 자자했다. 그런데 그 돈을 모두 아들에게 넘긴 것으로 알려졌다. 들리는 말로는 최씨 할아버지의 아들은 캐나다에서 식료품 소매업을 하는데 장기간의 경기침체로 사업하기가 녹록치 않았던 모양이었다. 몇 년 동안 얼굴보기 힘들었던 아들이 토지보상금이 나오자마자 귀국하여 오래 할아버지를 설득한 끝에, 할아버지는 결국 토지 보상금을 아들에게 넘기게 됐다한다.

거액의 토지보상금을 가지고 당당하게 대우받으며 아들네와 함께 살 것을 희망했던 최씨 할아버지의 바램은 이루어지지 않았다. 할아버지는 아들의 권유로 이제 실버타운으로 들어가게 되었다고 한다. 그나마 입소하게 된 실버타운은 꽤나 고급스러운 곳이라고 했다. 일주일 후 신년이 되면 바로 입소한다는 할아버지의 표정은 즐거운 기색이라곤 전혀 없이 왠지 쓸쓸하고 어두워보였다.

"나는 이 동네에서 평생을 살았네… 친구들이 모두 떠났어도 난 이곳에 있었지….."

한동안 말을 잇지 못하던 할아버지는 회한에 찬 표정을 지으며 다시 입을 뗐다.

"그것이 뭐라고 내가 그렇게 열을 냈었나 몰라…그런데 아무 소용 없는 일이 되어 버렸네….

미안허이… 다 미안하게 됐어….."

미안하다는 그 말뜻이 무엇인지 알 것 같았다. 봉성동에서 평생을 사신 할아버지가 이곳을 떠난 다는 것은 민석이 생각하는 것 보다 훨씬 더 서운하고 복합적 감정이 드는 일일 터이다. 최씨 할아버지의 눈언저리가 붉어졌다. 이웃으로 수십 년을 함께 살아왔던 터라 서운함에 애자 할머니도 눈물을 훔쳤다.

오랜 지기들이 이러저러한 일로 봉성동을 떠날 때면 애자할머니는 가슴에 구멍이 뚫리는 것 같았다. 40년 이상 이 마을을 지키고 있는 사람은 이제 애자할머니뿐이다. 외로움이 시리게 가슴을 때리지만 할머니는 어제와 다름없이 오늘을 살아가리라 자신을 붙잡았다.

연일 지속된 한파로 모든 것이 꽁꽁 얼어붙은 어느 날 성호빌라 옆

폐가에서 죽은 너구리를 발견했다는 신고가 들어왔다. 장비를 챙겨 곧장 출동하니 40대 중반쯤 되어 보이는 아주머니가 민석을 기다리고 있었다. 빌라와 아파트 주변에서 고양이를 돌보는 길고양이 돌보미라고 자신을 소개했다. 그녀는 김순덕이다.

날씨가 추워져 고양이들이 보이지 않기에 녀석들이 있을 만한 곳을 살피다 빌라 근처 폐가에서 죽은 새끼너구리 두 마리를 발견했단다. 민석이 새끼너구리 사체를 수습하고 있는 동안 순덕 집사는 3주 전 야생동물보호소에서 데려간 암컷 너구리에 대해 이야기 했다. 처음 그 너구리를 봤을 때 걸음거리가 뒤뚱뒤뚱하며 뚱뚱했었는데 그때 새끼를 배서 그랬던 모양이라고, 아마도 그 녀석이 이 아이들의 어미가 아니었을까 싶은데 젖먹이가 있는 줄 모르고 어미와 새끼를 떼어 놨던 것 같아 맘이 좋지 않다며 그 너구리는 잘 있느냐 물었다. 순덕 집사의 표정은 금방이라도 눈물이 터질 것만 같았다. 개선충으로 인해 피부병이 심했다면 그 녀석은 이미 안락사 당해 폐사처리 되었을 것이다. 차마 입 밖으로 그 사실을 말할 수 없었다.

"만약 이 아이들이 그 녀석의 새끼들이라면 애들도 개선충에 감염되었을 가능성이 높아요. 또 다른 이유로 죽었을 수 있구요. 그 녀석의 새끼라는 것도 확실치 않고…"

자신 때문에 새끼너구리가 죽은 것인 양 속상해하는 순덕 집사에게 민석은 애써 다른 이유를 대 보지만 웅크린 채 죽어있는 새끼너구리를 보면 스스로도 설득되지 않았다.

너구리는 잡식성이다. 새끼를 가진 너구리는 고양이 사료든 뭐든 먹어야 했을 것이다. 어미가 무엇이라도 먹어야 젖이 돌고 새끼들을 먹여 살릴 수 있었을 텐데 날씨가 추워지니 먹거리가 더더욱 줄어 너구리는 사람들이 있는 아파트 안까지 들어갈 수 밖에 없었을 것이다. 그러다 통 덫에 걸려 보호소로 이동하게 된 그 어미의 마음은 어떠했을까? 좁은 철장에 갇혀 낯선 곳으로 가는 공포와 더불어 자신을 기다리고 있을 새끼들이 눈앞에 어른거리지 않았을까? 새끼들에게 돌아가지 못한 너구리와 먹이를 찾으러 나간 엄마를 하염없이 기다리다 죽어갔을 새끼 너구리들을 보니 민석은 119 구급차 안에서 자신을 보던 슬픈 엄마의 얼굴이 떠올랐다. 갑작스럽게 엄마를 떠나보낸 후 엄마 체취가 가시지 않은 베개를 끌어안고 울며 잠들었던 어린 시절 자신의 모습이 새끼너구리들에게서 겹쳐 보였다. 이 아이들을 쓰레기봉투 속에 그냥 넣을 수 없어 민석은 두르고 있던 목도리를 풀어 새끼 너구리들을 따뜻하게 감싸 주었다. 그것이 지금 민석이 해줄 수 있는 유일한 일이었다. 지금쯤 녀석들은 엄마를 만났을까?

그동안 로드킬 당한 동물을 처리할 때와는 또 다른 감정이 마음에 일었다. 너구리 사체를 수습하고 폐가에서 나오니 진눈깨비가 휘날렸다. 연신 고개를 숙이며 고마워하는 김순덕 집사를 뒤로 하고 급하게 레이에 올라 탄 민석의 눈가가 젖어 들었다. 아마도 진눈깨비가 눈에 들어간 모양이다…

사무실로 복귀하는 길은 아파트 공사장을 지나야 한다. 민석은 이곳을 지날 때 마다 공사장 가림막이 뜯겨 비계가 노출된 채 방치된 공사현장을 보지 않으려 애써 노력했다. 하지만 오늘은 속 깊은 곳에서부터 차오르는 울분을 담고 공사현장을 목도했다.

직각으로 깎인 산의 옹벽엔 얼마 남지 않은 몇 그루의 나무들이 위태롭게 서 있고 짓다만 아파트 공사장은 강풍에 넘어진 비계와 건설 폐자재들이 흉물스럽게 방치되어 있다. 그렇게 야단스럽게 시작된 공사가 마무리나 잘 되었으면 좋으련만. 몇 안 되는 입주 예정자들의 무너진 꿈, 숲을 잃은 사람들의 상실감, 그리고… 서식지를 잃은 동물들… 그 많던 야생동물들은 다 어디로 갔을까? 오늘따라 산이 깎인 자리는 아프게 다가왔다. 무분별한 개발의 폐해가 화살이 되어 도로 인간을 향해 날아오는 것 같다. 아무도 이것을 원하지 않았다. 산이 허물어진 것처럼 민석의 마음도 무너졌다.

상실의 도시

희재

희재   철학을 소비하는 작가. 그저 존경스러운 사람이 많은 세상과 조용한
이타주의 사회를 지향한다.
제각기 다른 해상도로 살아가는 사람들. 그 시선을 맞추는 과정에 지
어지는 소통이란 공간.
현재를 놓치고 마는 과거에 대한 집착과 삶의 질서를 관통하는 구원에
대해 억측하며 써 내려간 이야기.
이기적이고 열심히 사는 상실한 사람들에게 마음의 환기를.

"야, 또 왔다. 저 선글라스. 오늘은 비도 오는데….."

"내 말이 맞지? 오늘 보름이잖아."

쏟아지는 비에 어수선한 퇴근길, 오피스텔 1층에 자리 잡은 카페 유리창엔 빗방울들이 굵직굵직한 길을 내며 흐르고 있다. 테이블에 마주 앉은 두 여자가 창밖을 곁눈질하며 속삭인다. 곧게 추락하는 빗속에 하늘을 올려보고 있는 한 여자에 대해. 그녀는 짙은 선글라스를 쓰고 오랜 시간 그곳에 서 있다. 마치 누군가를 기다리는 듯이.

"미쳤어요? 상실씨?"

툭-툭-

상실의 오른쪽 어깨가 노란 선물 상자에 의해 묵직하게 밀렸다. 날카롭게 각이 진 빳빳한 작은 상자는 얇은 니트 넘어 상실의 어깻살을 꾹꾹 짓눌렀다. 멍이 들 것 같았다. 상실의 마음이, 그리고 이 커리어가.

"정말…죄송합니다."

영업시간이 끝난 매장 1층에는 무거운 침묵이 내리누르고 있었다. 중간중간 들리는 드릴 소리만이 이곳에 사람이 있음을 짐작게 했다. 고객사 대표라는 사람이 회의 때마다 물건을 집어 던진다는 소문은 익히 들었건만 이렇게 사람을 친다는 것은 예상치 못했다.

'아니, 그 말이 물건을 던져 사람을 맞춘다는 소리였나?'

고개를 푹 숙이고 서있던 상실은 눈썹을 작게 꿈틀거렸다. 내린 시선에 크리스털 장식이 크게 박힌 박 대표의 구두가 들어왔다. 매장 조명을 받아서인지 사방으로 반짝이는 구두는 상실의 빛바랜 운동화와 대조되었다. 오늘따라 유독 거친 손끝이 상실을 더 작게 만들었다. 상실은 뒤편으로 보이는 수북이 쌓인 노란 선물 상자 3,000개를 박 대표 대신 노려보았다.

'빛나는 노란색이라며. 샘플 보고 좋다 했잖아.'

상실은 왜 그땐 맞고 지금은 틀리냐는 말이 튀어나올까 입술을 힘주어 다물어야 했다.

발주가 잘못된 건 아니었다. 찬란한 선물이라는 시즌성 주제로 지난날 상실의 체력과 정신이 녹아든 결과물이었다. 노란 선물 상자들이 도시의 형태로 구성되는 중이었다. 그런데 예고도 없이 현장을 찾아온 박 대표가 갑자기 메인 색을 지적했다. 노란색이 너무 밝다며 미쳤냐는 말과 함께. 정말 미칠 노릇이었다. 한데 박 대표의 말처럼 상실의 눈에도 빛나는 노란색이 점점 시큼한 레몬색으로 보이기 시작했다. 상실은 두 눈을 거듭 깜박거렸다. 고요하던 공간이 창밖을 향한 소란으로 순식간에 메꿔졌다. 상실도 몸을 틀어 밝아진 창밖을 보았다. 불과 1시간 전만 해도 까만 밤하늘에 손톱만 하게 보이던 달이 손바닥만 하게 변해있었다. 상실은 수면 부족이라 생각하며 초점이 흐려지는 동공에 힘을 주었다. 다시 보니 그건 흡사 달처럼 보이는 발광하는 빛 덩어리였다. 그것은 점차 무섭게 크기를 키워 어린아이 얼굴만 할 정도로 지상과 가까워지고 있었다. 바닥에 미세한 진동이 느껴졌다. 지구로 달이 추락한다면 이런 모습일까. 상실은 마른침을 꿀꺽 삼켰다. 곤두박질하는 그것이 지상에 닿기 직전이었다.

그날의 거대한 빛 덩어리는 쓰나미처럼 세상을 삼켰다. 말 그대로 한 입 크게 벌려 색을 먹어 치웠다. 그날 이후 세상의 모든 색이 사라지고 흑백 세상이 되었다. 우리나라는 그날 하루만 해도 4만 명이 넘는 사람들이 변한 세상을 보지 못하고 눈을 감았다. 후유증으로 사상자는 날로 증가했다. 우리는 그날을 상실의 날이라 불렀다. 색을 잃었고 사랑하는 이들도 너무 많이 잃었기에. 패션과 미용 산업은 하루가 멀다고 망해갔다. 업계는 다양한 색을 만들 수 없었고, 고객들을 찾을 이유도 여유도 없었다. 흑백 세상의 삶은 사람들의 생기까지 잃게 했다. 그렇게 상실은 일자리를 잃었다. 그날이 상실의 상실의 날이였다.

[10년 후]

10년 전 그날 이후 죽어가던 패션과 미용 산업은 섬세한 명암이나 질감, 패턴들로 구성되며 영역을 확대해 나갔다. 상실 또한 한동안 방황을 하다 재기를 준비하기도 했지만... 그때의 기억은 상실의 마음 한구석에 지워지지 않고 눅진하게 눌어붙어 있었다. 바다 건너 유학도 다녀왔고 열의에 차 누구보다 일을 사랑했다. 누구보다 '감각'이 있다고 당당히 믿었다. 하지만 현실을 깨닫게 해준 건 예전 회사 실장님의 대답이었다.

'나야 알지. 상실씨 잘했던 거. 근데 우린 AC 세대만 뽑아. 미안해. 나도 주변에 알아볼게.'

그 말에 상실은 얼굴이 화끈거렸고 입안에서 맴도는 어떤 말도 내뱉지 못했다. 지원하는 곳마다 탈락의 고배를 마셨을 땐 단지 경쟁이 치열했으리라 생각했다. 그런데 착각이었다. Achromatic Color 세대라니. 학창 시절은 흑백 세상 속에 보냈던 세대를 일컫는 단어였다. 그렇게 업계는 세대교체가 이루어지고 있었다. 더 이상 눈을 낮추고 싶지 않아 당차게 준비한 개인 사업은 사기를 당해 허망하게 접어야 했다. 진작에 눈치챘어야 했으나 당시 업계에서 떠오르는 회사 간부였기에 너무 믿은 탓이었다. 동료들도 많이 얽혀있었고 업계에선 나름 큰 사건이었다. 그 일로 수중의 돈을 몽땅 날린 상실은 닥치는 대로 일을 하기 시작했다. 유학 생활 속에 익힌 영어는 교육 쪽 아르바이트 기회를 주었다. 안정적이고 꽤 괜찮은 수입 탓에 조금씩 일을 늘리던 것이 5년 전부터 본업이 되었다. 열정보단 안정감이 큰 그런… 상실에게는 나쁘지 않은 일.

저녁 수업을 마친 퇴근길. 조금 걷고 싶은 마음에 한 정거장 이르게 내려 느긋이 걸었다. 여름의 끝물 정오에 가까운 시간이라 몸에 닿는 공기가 부쩍 사늘했다. 상실은 위팔부터 한번 쓸어내리곤 손목에 걸린 작은 쇼핑백을 의식했다. 홈베이킹을 배우는 동료 장 선생님이 제법 맛있다며 챙겨준 티라미수였다. 요즘 구김살 없는 사람의 상징인지 몇 달 전 이사온 앞집도 잘 부탁드린다며 티라미수를 내밀었다. 지금과 같은 밤의 색. 아마 흑백 세상은 달콤함과 씁쓸함에 어둠을 뿌린 티라미수와 별반 다를 바 없을지도 모른다. 생각을 흘려보낸 상실이 오피스텔까지 한 블록 정도 거리를 남겨두고 있었을 때였다. 서늘한 바람이 훅 불어와 상실의 까만 긴 생머리가 크게 나부꼈다. 순간 하늘에서 무엇인가 반짝였다. 공감각을 의심할 정도로 오피스텔과 유독 가깝게 떨어짐을 느꼈다. 상실이 사는 제일 높은 14층을 올려보자 순간 머릿속에 최근 뉴스 기사들이 스쳤다. 정부는 최근 개발된 장치들로 우주의 물질 수집에 열을 올리고 있었다. 습득 시, 자진 신고를 해야 하며 조금이라도 색을 띠고 있을 시엔 포상금도 준다는 홍보는 모두에게 익숙했다. 정부는 적극 협조를 당부했다. 신고와 포상금…….

하늘 위 반짝임이 순식간에 사라졌다. 잠시 멍하니 하늘을 응시하던 상실은 역시나 유성이라 생각하며 오피스텔 1층 카페로 향했다.

늦게까지 영업하는 유일한 카페였다. 문을 열자 청아한 종소리가 울렸다.

상실이 탄 엘리베이터가 14층에 도착하자 다급한 발소리 들려왔다. 뛰어오는 소리가 위협적이기까지 했다. 왼편에 자리한 계단실 문이 거칠게 열리며 뭔가를 보쌈하듯 품에 안은 작은 체구의 여자가 뛰어나왔다. 상실을 지나치며 달려가 비밀번호를 눌러 집으로 들어가 버리자 복도에는 긴 여음만이 남았다. 몇 달 전 이사 온 앞집 여자애였다.

'또 고양이라도 데려왔나? 뭘 저리 급하게.'

호텔처럼 머물다가 사라지는 이 오피스텔에서 초인종이 울리는 일은 배달 혹은 택배뿐이건만 그날은 사뭇 달랐다. 이사온 이웃은 고양이를 키우고 있어 양해 부탁드린다며 간곡한 눈으로 작은 티라미수를 내밀었다. 요즘에 입주 인사라니. 상실은 그날을 잠시 떠올리다 이내 무심히 비밀번호를 눌렀다.

다음날 금요일 이른 아침, 짙은 회색 도로는 서서히 밝아지고 있었다. 상실은 오른손 검지로 핸들을 작게 두드리며 머릿속으로 오늘의 스케줄을 떠올렸다. 오전 수업만 있는 날이라 퇴근 후 근처 쇼핑몰에 들릴 참이었다. 귀 기울여 듣지 않는 라디오에서는 여느 때와 같이 정부의 색소연구 진전에 대한 소식이 흘러나왔다.

"...지구로 떨어지는 운석 등 출처를 알 수 없는 물질은 습득하는 즉시 신고를 해 주셔야 합니다. 이는 정부의 색소 연구에 큰 힘이 되며 우리들의 삶을 이전으로 되돌릴 수 있는… 신고 전화는 국번 없이…"

'이전의 세상… 그 속의 삶.'

상실에게 그것은 파도에 휩쓸려 절대 닿을 수 없는 곳까지 밀려난 부표와도 같았다. 잡으려 할수록 상실을 위태롭게 만들고 목까지 차오르는 한계를 경험하게 하고 마는 그런 존재. 상실은 라디오를 꺼버렸다.

퇴근 후 향한 쇼핑몰은 금요일 대낮임에도 사람들로 북적였다. 실내 분수대 옆 자리잡은 해외 브랜드의 포토존에는 유독 많은 사람이 몰려 있었다. 캔디 마을이란 컨셉으로 어린아이 키만 한 다양한 물결 무늬의 하얀 막대 사탕들이 길을 만들며 세워져 있었다. 뒤쪽에 놓인 2m는 될 만한 거대한 검은 선물 상자 정면엔 알전구가 브랜드 로고형태를 그리며 박혀 있었다. 화려하면서도 귀여운 분위기로 SNS에서 보이던 반응 좋은 프로젝트였다. 흑백의 세상에서도 섬세한 명암 차이와 반짝임 등으로 다채로움을 선사하려는 디자이너들의 고뇌가 엿보였다. 이렇게 누군가의 결과물들을 마주할 때면 상실은 자신도 모르게 빠져들고 있었다. 이전의 세상과 확연히 다른 방식. 상실은 쇼핑몰 내부를 천천히 둘러보았다. 익숙했던 광경이 낯설게 다가왔다. 광이 나는 흰 타일 바닥 그리고 그 위에 회색 옷을 입고 검은 그림자를 끌고 다니는 사람들. 검은색의 매장 옆에 진회색 매장. 그 옆에 다시 한 톤 어두운 매장. 그리고 조금더 밝은 매장… 차곡차곡 끊임없이 반복되었다.

흑백을 제외한 색이라곤 전혀 볼 수 없는 이곳에서 상실은 순간 숨이 꽉 막히며 답답함을 느꼈다. 눈에 씌워진 이 두꺼운 흑백 필터의 파

편이 상실의 가슴까지 묵직하게 박힌 듯했다. 상실의 호흡이 가빠졌다. 변해버린 시각적 자극으로 대다수 사람을 패닉으로 몰고 갔던 불안 증상이었다. 10년이 넘게 지난 지금, 대다수 사람은 이미 겪어 극복했고 그 당시 상실에겐 나타나지 않았던 증상이었다. 고운 미간에 세로 주름이 잡히며 상실의 허리가 굽어지고 있었다. 남은 힘을 끌어모아 미세하게 떨리는 손을 뻗어 벽을 짚었다. 사람들이 하나둘 상실 주변으로 모이기 시작했다.

"저기요 괜찮으세요? 심호흡하세요!"

적극적으로 다가온 누군가가 상실의 한쪽 팔을 힘 있게 잡아 부축했다. 팔에 닿는 온기와 맑은 목소리에 순간적으로 정신을 차린 상실이 식은땀 맺힌 고개를 들었다. 앞집 여자애였다.

둘은 쇼핑몰과 연결된 1층 카페테라스에 자리를 잡고 앉았다. 갑작스러운 불안 증상에 혼미했던 정신이 평소처럼 돌아온 지 오래지만 앞에 앉은 이웃은 여전히 걱정스러운 눈으로 상실을 바라보고 있었다. 상실이 입꼬리를 살짝 올리며 감사의 인사를 건넸다.

"도와줘서 고마워요. 다음에 식사 한 끼라도 대접할게요. 유채씨."

상실의 칭찬이 멋쩍은지 유채가 수줍게 웃으며 볼을 붉혔다. 짧은 대화를 통해 알게된 유채는 고등학교를 졸업하자마자 홀로 상경해 아르바이트와 학업을 병행하는 착실한 여대생이었다. 꽃에서 따왔다던 이름처럼 수수하고 밝은 친구였다.

"친언니라 생각하고 힘든 일 있으면 뭐든 말해요. 도와줄게. 근데 유모차에… 동생? 아, 혹시 고양이?"

상실은 아까부터 눈에 띈 유채의 유모차를 향해 눈짓했다. 유모차의 먹색 차광막이 깊이 내려져 있어 그저 아이가 있구나 싶은 정도였다. 유채는 눈에 띄게 당황하며 율무차가 담긴 잔을 거듭 만지작거렸다.

"아, 고양이는 집에 있고요… 유모차는 쇼핑몰에서 빌린 건데… 동생이… 아, 사촌 동생인데요. 곤히 자고 있어서 보여드리기가…."

몹시 난처해하며 불안한 눈을 하는 유채를 보며 상실이 괜찮다며 손을 저었다. 집에 가는 길이면 태워주겠다며 상실이 일어났다.

자동차 뒷자리에 탄 유채는 꼭 끌어안은 그 손을 한시도 풀지 않았다. 동생은 머리부터 발끝까지 유채의 옷으로 둘러져 있어 더워 보이기까지 했다. 작은 품에 어찌나 잘 가둔 건지 상실은 손끝이나 얼굴조차 볼 수 없었다. 그리고 오피스텔 14층에 도착하자마자 유채는 상실을 향해 꾸벅 인사를 하더니 지난번처럼 발 빠르게 집으로 쏙 들어갔다. 상실은 유채의 품 안의 것이 의심스러웠다.

간단한 밀린 업무를 하나 끝내니 시간은 어느덧 저녁 8시를 향했다. 본격적인 느긋한 저녁을 만끽할 시간이었다. 소파를 등받이 삼고 앉은 상실이 맥주캔을 입에 대려는 순간이었다. 티브이의 번쩍이는 요란한 화면은 상실의 행동을 느려지게 했다. 다양한 색이 없어도 티브이는 여전히 사람들의 시선을 훔쳤다. 큰 티브이 화면에서는 정부의 색소 연구에 대한 뉴스가 평소와 다름없이 나오고 있었다. 서두에는 색소가 있는 것을 끌어당기는 거대 장치에 대한 연구 진전을 간략하게 보여주었다. 그리고 새하얀 방진복을 입은 연구원들이 더 하얀

연구실에서 잿빛 운석을 커다란 기계에서 꺼내고는 실험에 열중하는
모습이 보였다. 평소엔 지나치던 뉴스를 상실은 눈을 떼지 못했다. 낮
에 겪었던 불안증세만 해도 평소의 상실답지 못하였다. 지나치게 집
중한 나머지 맥주캔을 쥔 손에 힘이 풀릴 때쯤 핸드폰 진동이 울렸다.
발신자는 대학 졸업 후에도 꾸준히 연락하고 지내는 동기인 민준이었
다. 몇 년 전 상실과 함께 사기 피해를 보았지만, 다시 사업을 준비한
다는 이야기를 건너 들었다. 아버지가 제법 굵직한 회사를 운영한다
는 건 동기들 사이에선 공공연한 비밀이었다. 민준은 자신의 사무실
을 개업했다고 멋쩍게 웃었다. 주변에 맛집이 많다며 놀러 오라는 말
과 함께. 상실은 축하한다는 말과 다음을 기약하는 짧은 인사를 끝으
로 핸드폰을 내려놓았다. 민준의 사무실은 차로 30분도 안 되는 거리
였지만 상실에게 그 만남은 아득하기만 했다.

꺼진 핸드폰 화면을 내려다보며 자신이 지나온 행적을 더듬어 보았
다. 학교 다닐 땐 남부럽지 않은 점수를 받았다. 짧은 유학 생활도 부
끄럽지 않은 성적으로 마쳤고 회사 생활은 고단했지만 헌신하며 보냈
다. 그렇게 커리어를 차곡차곡 쌓아가고 있었다. 누구보다 잘살아가
고 있다 자부했다. 그렇지만 언제부터였을까. 10년 전 그날부터 시작
된 건지 상실의 커리어는 수명을 다해가는 형광등처럼 파르르 연명
하더니 순식간에 꺼져버렸고 동시에 상실의 마음속 빛나던 뭔가도 팟
꺼져버렸다. 그럼에도 흑백 세상 속 상실은 꽤 잘 적응하고 있다 생각
했다. 전혀 의심하지 않았다. 불 꺼진 거실에서 익숙히 움직이는 지금
과 같이. 마치 암순응처럼 시간이 필요해 지금의 혼란은 일시적인 거

라 그때까진 그렇게 생각했다.

외출 후 주차를 마친 상실은 건너편 분리수거장에서 쓰레기를 버리고 있는 유채를 보았다. 다가온 경비아저씨가 유채를 향해 말을 건넸다.

"14층 아가씨, 저번에 옥상에서 사라져서 놀랐잖아. 그때 뭐 떨어진 거 없었지?"

"아, 그건… 제가 잘 못 봤나 봐요! 죄송해요. 그렇게 가버려서….""

"아냐. 아이참 아쉬워. 여기도 운석이나 뭐가 떨어지면 좀 좋아? 포상금도 받고 나라에 기여도 하는 꼴이잖아. 전처럼 돌아가면 알록달록 예쁜 단풍놀이도 가고….""

그들의 대화에 상실은 며칠 전 다급히 계단실을 내려오던 유채를 떠올렸다. 그리고 차 안에서도 놓지 않았던 품 안의 것. 상실의 눈이 가늘어졌다. 또각또각 구두 소리를 내며 다가간 상실이 유채를 향해 반갑게 아는 척했다.

엘리베이터를 타고 올라오는 동안 유채는 자신의 이야기를 재잘댔다. 상실은 작게 호응하며 성실히 들어주다 입을 뗐다.

"참, 유채씨, 고양이 키우죠? 나 구경하러 가도 되나? 나도 요즘 고양이를 키우고 싶더라고. 우리 저녁이나 시켜 먹자. 내가 사줄게. 응?"

"아…그게….""

띵-. 경쾌한 소리와 함께 엘리베이터가 14층에 도착했다. 손님맞이를 위해 먼저 집으로 들어간 유채를 문 앞에서 기다린 지 5분쯤 지났을까 상실이 팔짱낀 손을 고쳐 잡으려 할 때 문이 열렸다.

상실은 거실 작은 테이블에 딸린 플라스틱 의자에 앉았다. 아기자기한 사회 초년생 여자아이의 집이었다. 하나뿐인 의자를 상실에게 양보한 유채는 바닥에 쭈그려 무릎을 모아 앉았다. 벨벳 원단 같은 검은 털을 가진 고양이는 구석 캣타워 위에서 혼자만의 시간을 보내고 있었다.

"지난번 사촌 동생은 잘 갔어?"

얼핏 보면 무심한 듯 보이던 상실의 시선은 느긋하게 집안 곳곳으로 닿고 있었다. 이내 굳게 닫힌 다른 방을 바라보았다. 드레스룸이었다. 상실의 곧은 시선을 눈치챈 유채가 조심스럽게 몸을 일으켰다.

홀로 드레스룸으로 들어온 유채는 소중히 감싸안은 품 안의 것을 보며 지난 며칠 꿈같은 날을 떠올렸다. 그날 하늘에서 옥상으로 떨어지는 뭔가를 보고 발이 먼저 움직였다. 깜깜한 밤 경비아저씨와 함께 올라간 옥상에서 유채는 먼저 그것을 발견했다. 그리고 아저씨도 모르게 그것을 품 안에 안고 집으로 도망쳤다. 숨겨야 한다는 본능이 유채를 움직였다.

유채가 10살쯤 되었을까, 학교 앞에서 노란 털이 보송한 병아리를 사 왔다. 기쁨도 잠시 병아리는 비실거리다 며칠 버티지 못하고 죽어버렸고 그날 유채는 엄마의 품에서 서럽게 울었다. 그리고 그 슬픔이 채 가시기도 전에 유채는 상실의 날을 겪었다.

며칠 전 옥상에서 마주친 것은 유채의 무릎 정도까지 오는 노란색 곰돌이 인형이었다. 보송한 털을 가진 존재는 잊어버렸던 선명한 색을 뽐으며 서있었다. 게다가 살아있다는 것을 느낀 순간 유채는 입이 굳어 버려 소리조차 내지 못했다. 두 다리도 말을 듣지 않았다. 처음 겪는 공포감에 조금씩 뒷걸음질 치려는 순간 너무나도 무구하게 바라보는 곰돌이의 까만 눈에 유채는 더 이상 움직일 수 없었다. 어릴 적 허무하게 보내버린 노란 병아리가 곰돌이 모습 위로 겹쳐 보였기 때문이다. 당시 너무 어렸고 아무것도 몰라 제대로 보살피지 못했던 존재. 그래서인지 이번엔 지켜줘야 한다는 생각에 무작정 집으로 데려왔다. 은하수처럼 곱게 하늘거리는 노란빛 털은 유채가 아끼는 큐빅 팔찌보다 더 화사하게 빛났다. 바닥에 앉아 팔찌를 이리저리 갖고 노는 곰돌이의 뒤통수 털을 홀린 듯 조심스레 빗겨주기도 했다. 아장거리며 집안을 돌아다니던 곰돌이는 유리창에 몸을 잔뜩 기댄 채 깜깜한 창밖을 하염없이 올려보곤 했다.

그리고 무엇보다 놀라운 일은… 곰돌이의 반짝이는 눈을 깊게 마주하면 일시적으로나마 색을 볼 수 있다는 것! 처음 그것을 경험했을 때 유채는 꿈결이라 착각했다. 아니, 이제는 생각도 흑백인 유채에겐 꿈이라 말하기조차 아까웠다. 유채의 눈에 눈물이 차오르건 가족사진이 담긴 작은 액자에 시선이 닿았을 때였다. 이젠 기억 속에서도 바래져 있던 엄마의 갈색 머리가 사진 속에선 선명했다. 그렇게 꿈 같은 순간을 겪은 유채는 벅차오르는 가슴을 안고 잠이 들었다. 그리고 꿈속에서 곰돌이를 만났다. 곰돌이는 자신의 이야기를 조용히 보여주었다. 강력한 힘으로 지구로 추락하는 우주선, 떨어지는 곰돌이의 모습, 알 수 없는 전파, 부서진 잔해들… 이내 장면이 바뀌며 형형한 보름달이 나타났다. 곰돌이의 슬픈 눈빛은 유채에겐 너무나 잘 읽혔다. 곰돌이는 다시 돌아가고 싶어 했다. 유채는 곰돌이를 도와주고 싶었다.

곰돌이를 품에 안고 머뭇거리며 드레스룸을 나온 유채는 상실의 얼굴을 조심스레 올려다보았다. 유채가 나온 순간 품 안의 것을 본 상실은 10년 만에 느껴진 시각적 자극에 시야가 어지러워 순간적으로 휘청였다. 그것도 상실이 마지막 색이 돼버린 그 노란색. 바래진 줄 알았던 색의 감각이 살아나며 뒷골부터 소름이 돋았다. 상실은 제멋대로 뛰는 가슴을 진정시키기 위해 숨을 잘게 뱉었다. 흔들리는 눈에 초점이 맞아지기 시작하자 이내 침착하게 그것을 살펴보았다. 2~3살 아이와 같은 크기에 윤기 나는 노란색 털을 가진 곰돌이 인형이었다. 아니, 인형인 줄 알았다. 그런데 유난히 조심스럽게 안는 유채의 몸짓에서, 고요하게 잠든 숨결로 인해 잔잔하게 물결치는 털들이 살아있는 존재라 말해주었다. 혼란스러워하는 상실의 반응을 살피던 유채가 조심스럽게 지난날을 고백했다. 상실이 하늘에서 떨어지는 뭔가를 본 바로 그날이었다.

유채는 며칠사이 꿈에서 봤던 장면들을 두서없이 성실하게 나열했다. 갑작스러운 비행선의 추락, 그리고 유난히 큰 보름달에 대해. 상실은 유채의 잿빛 집안에서 혼자 환하게 빛나는 곰돌이를 뜯어보다 뉴스에서 떠들던 말이 스쳤다.

'색소가 있는 것을 끌어당기는 거대 장치에 대한 연구 진전….'

곰돌이가 보여준 보름달이 당최 어떤 의미인지 유채는 감도 잡지 못했다. 곧 보름임에도 답을 찾지 못한 유채는 초조했다.

"그때 도와주신다고 했죠? 언니, 저 좀 도와주세요."

지난번 상실이 무심하게 흘렸던 말까지 언급하면서 유채는 도움을 요청했다. 상실은 곰돌이에게 눈을 뗄 수 없었다. 충동적으로 유채의 집을 찾은 건 숨기고 있는 뭔가가 운석일 거라 확신했기 때문이었다. 유채가 철저히 숨기는 것이 내심 고까워 눈으로 직접 확인하고자 한 것이었다. 한데 그런 상실을 비웃기라도 한 듯 예상치 못한 충격이었다. 머리가 지끈 조여 오려 했다. 한 손으로 이마를 감싸며 눈을 내리깐 상실이 유채를 쳐다보지도 않고 말했다.

　"유채씨 그거 신고해. 알았지? 안 그러면 잡혀가. 게다가 그건 살아 있잖아."

　상실의 사뭇 냉담한 말에 유채의 고개가 떨어졌다.

　풀 죽은 유채를 외면하고 집으로 온 상실은 신발도 벗지 않은 채 문에 기대 주저앉았다. 아직 믿기지 않았다. 등 뒤의 서늘한 냉기가 생생한 현실임을 일깨워주었다. 그 곰돌이를 신고하면 유채는 아마 포상금을 두둑히 받을 것이다. 선명한 색과 저렇게 살아있는 존재는 분명 엄청난 가치가 있을테니. 그 노란색으로 인해 상실의 10년 전 기억이 온몸을 덮쳤다. 누구보다 색감각이 예민하다 자부했다. 제 눈엔 뻔히 보이는 미세한 차이를 못 보는 후배들을 보며 한숨 쉬는 날도 부지수였다. 그런데 지금의 삶에는 그 예리한 감각이 구석에 방치돼 무디어지고 녹슬고 있었다. 눈을 질끈 감은 상실은 폐로 깊은숨을 욱여넣었다. 마치 좀 전에 눈으로 쏠린 모든 감각을 다른 감각으로 지우고 싶어 하는 듯한 행위였다. 비 온 뒤 숲속에서 나는 풀 내음이 맡아졌다. 상실이 좋아하는 디퓨져 향이었다. 상실의 미간이 느슨하게 풀렸다.

그날 밤 상실은 익숙한 흑백이 아닌 색이 한 다발 담긴 생생한 꿈을 꿨다. 전시장에서 좋아하는 화가의 작품을 감상하던 과거의 기억이었다. 작열하는 태양 속 풀밭 위에 빛이 닿는 풀의 색 변화를 섬세하게 포착한 작품을 감상했다. 너무나도 찬란하고 형형해 상실은 감격에 젖었다. 말로 표현할 수 없는 충족감이 상실을 미소 짓게 했다. 동시에 갈증이 났다. 조금만 더… 상실은 이불을 끌어안고 또다시 깊은 잠에 빠졌다.

일요일 이른 저녁, 윤기 나는 연회색 카디건을 입은 상실이 앞집 초인종을 눌렀다. 한 손엔 티라미수를 들고서.

"유채씨, 그날 그렇게 가서 미안해요. 유채씨 걱정되어서 찾아왔어. 나 티라미수 사 왔는데 같이 먹을까?"

온화한 미소를 띤 상실이 티라미수를 눈높이까지 들어 올려 작게 흔들었다. 예상치 못한 상실의 등장에 긴장했던 유채의 표정이 조금 느슨해졌다. 유채의 집에 들어온 상실은 주저 없이 거실 한구석 방석 위에 엎드려 잠든 곰돌이를 향했다. 거침없는 행동에 유채가 움찔했다. 제지하기 위해 손을 뻗는 찰나 곰돌이를 애틋하게 어루만지는 상실의 손길을 본 유채는 이내 손은 거두며 안심했다.

"정말 이쁘다. 이 곰돌이… 신고 못 하겠다."

"그죠! 언니 저 어제도 인터넷 기사 봤어요. 동물들을 가둬 놓고 실험하는 거요. 분명 곰돌이를 가만두질 않은 거예요. 너무 특별하니까. 그래서 제가 약속했어요! 집에 꼭 보내주겠다고."

상실의 말이 떨어지기를 기다렸다는 듯 유채가 말을 쏟아냈다. 상실이 잠시 생각에 잠긴 듯하다 입을 열었다.

"…우리 같이 생각해 보자. 내가 도와줄게. 유채씨."

상실이 유채를 올려다보며 나긋하게 웃었다. 비로소 유채의 얼굴에도 완전한 안도감이 그려졌다. 거실 바닥에서 티라미수를 사이에 두고 상실과 유채는 많은 이야기를 나눴다. 유채가 혼자 서울에 올라온 배경을 듣다 보니 어느덧 노을 위 어둠이 덧칠되었다. 상실이 잠든 곰돌이를 한번 내려본 후 자리에서 일어나려 하자 유채가 조급히 붙잡았다. 그리곤 곰돌이를 향해 눈짓했다. 막 잠에서 깬 곰돌이가 느리게 까만 눈을 끔뻑였다. 천천히 주변을 살피다 상실을 천천히 올려다보았다. 눈이 마주쳤다. 은하수가 담긴 듯 까만 눈동자가 잘게 빛나고 있었다. 그와 동시에 상실의 시야가 달라지기 시작했다. 곰돌이 주변으로 물감이 번지듯 미세한 색이 입혀졌다. 물을 잔뜩 머금은 듯한 연한 색이 사방으로 물들고 있었다. 상실이 앉아있는 회색빛의 강마루가 연한 브라운 빛을 띠고 있었다. 상실은 재빨리 주변을 둘러봤다. 여러 겹의 흑백 필터 하나가 벗겨지듯 색들이 하나둘 새겨졌다. 지난밤 황홀했던 상실의 꿈이 비로소 눈앞에 펼쳐지고 있었다. 상실의 혼란을 아는지 유채가 말없이 빙그레 웃었다. 상실이 먼저 입을 뗐다.

"색이 보여… 이거 뭐야?"

"신기하죠! 저도 첨에 깜짝 놀랐어요. 근데 오래가진 않아요. 자고 일어나면 다시 돌아오더라고요. 정말선물 같아요. 곰돌이가 주는….."

탁-

유채의 말이 끝나기도 전에 일어난 상실이 순식간 곰돌이의 한쪽 팔을 낚아채 거칠게 안아 올렸다.

"뭐, 뭐 하시는 거예요!"

"나 좀 빌려줘. 돌려줄게."

상실을 향해 다급히 뻗은 유채의 손을 상실이 단번에 뿌리쳤다. 그리고 성큼성큼 현관문으로 향했다. 그 행동이 점점 성급해졌다. 자신도 무슨 행동을 하는지 모를 정도로 본능적으로 움직였다. 어디로 갈지 모르지만 일단 어디든 가고 싶었다. 이 곰돌이와 함께라면 꿈에서의 미술관이든 어디든.

급히 뒤따라온 유채가 상실의 소매를 잡아챘다. 상실은 자유로운 한쪽 손으로 유채의 손목을 잡아떼어냈다. 현관문 열고 나갈 때도 상실의 귀엔 유채의 애절한 목소리가 들리지 않았다. 복도를 빠르게 벗어나는 상실의 곧은 시선은 오직 앞만을 향해 있었다. 상실의 긴 생머리가 파도처럼 철썩였다. 마침 14층에 서있던 엘리베이터를 타고 내려간 상실을 유채가 간발의 차로 놓쳤다. 다급히 다른 엘리베이터 버튼을 연달아 눌렀지만, 기다릴 여유가 없었다. 재빨리 계단실로 몸을 돌렸다.

정신없이 긴 계단을 내려온 유채가 도로 쪽에 서있는 상실을 발견했다.

"언니, 왜 그러세요! 안 돼요. 저랑 얘기 좀 해요!"

오피스텔 앞 거리로 나와 택시를 찾는 상실의 앞을 유채가 양팔을 벌리고 막아섰다. 몰아쉬는 거친 숨에 유채의 몸이 흔들렸고 굳게 벌린 양팔 또한 가늘게 떨리고 있었다. 유채는 상실의 눈을 마주하며 간

절히 고개를 저었다.

"이러지 마세요. 누가 보면…! 제발요."

늦은 저녁이라 택시들은 다 번화가로 가는지 상실은 오늘따라 잡히지 않는 택시가 원망스러웠다. 어느새 앞을 막고 있는 유채의 존재 또한 상실의 신경을 건드렸다. 가로등이 닿지 않는 어둠 속, 유채는 상실과 도로 사이를 위태하게 막아서고 있었다. 눈으로 택시를 쫓던 상실이 유채를 똑바로 보며 말했다.

"잠깐만 빌려 달라니까? 나 못 믿겠어? 근데 너 정말 이거 보낼 거야?"

상실에게 흑백으로 필터 낀 이 세상은 아무리 닦아도 지워지지 않았다. 오히려 문댈수록 더 지저분해지고 어그러져 엉망이 되어가는 것 같았다. 그런 상실의 세상에서 곰돌이는 단순히 색이 있는 존재가 아니라 상실의 세상을 바꿔줄 유일한 존재 같아 보였다. 아니 구원일지도 모른다.

희번덕한 눈을 한 상실이 쏘아붙이는 물음에 유채는 목멘 소리로 울분을 터트리며 말했다.

"안 도와줄 거면 그냥 돌려줘요! 혼자 할 거니까!"

그때 다급히 뻗은 상실의 손을 본 택시가 속도를 줄이며 다가왔다. 미처 갓길로 서기 전에 상실은 차선으로 뛰어갔다. 조급해진 유채가 그 앞으로 몸을 던지다시피 상실을 붙잡은 순간이었다. 멀리서 아찔한 곡예를 하며 잔상을 남기던 하나의 헤드라이트가 유채의 몸을 붕 띄웠다. 짧은 비명이 사방에 뿌려졌다.유채가 매달리던 몸이 가벼워지자, 상실은 순간 멈칫했다. 주변 소리가 차츰 들려오기 시작했다. 멀리서 술렁이던 사람들이 이곳을 향해 조심스럽게 다가오고 있었다. 정신을 차린 상실은 다급히 카디건으로 곰돌이를 감쌌다. 카디건이 늘어지며 형태가 비틀렸다. 고개를 푹 숙인 상실은 몰려들기 시작한 사람들 사이를 빠져나왔다.

몸이 부유하는 감각에 유채는 날고 있다 착각했다. 이렇게 하늘로 올라갈 수 있겠다는 생각까지도. 순식간에 몸에 닿는 거친 냉기와 통증에 정신이 아득해진 유채의 눈꺼풀이 파르르 떨렸다. 유채는 곰돌이를 떠올렸다. 짧지만 너무나 큰 선물을 받았고, 이제 유채가 보답할 차례였다. 유채의 눈과 귀를 어지럽히던 세상이 불규칙하게 끊기더니 이내 고요해졌다. 얼마나 흘렀을까 날카로운 사이렌 소리가 사방에 울려퍼졌다.

유채를 남겨두고 무작정 걷던 상실은 아차 싶었다. 자정에 가까운 시간이라 마땅히 갈 곳이 없었다. 정처 없이 방황하다 페인트가 벗겨진 낡은 놀이 기구들이 있는 한적한 공원 벤치에 앉았다. 상실은 양손으로 곰돌이의 몸통을 들어 눈높이를 맞췄다. 조명이 없어도 달빛에 잔잔히 빛나는 노란 털은 여전히 아름다웠다. 상실은 작게 탄식했다. 곰돌이는 지속된 소란에 지쳤는지 눈이 반쯤 감겨있었고 축 늘어져 있었다. 상실이 집요하게 바라보았지만, 곰돌이의 고개는 계속 떨어지길 반복했다. 상실은 입술을 잘게 깨물었다. 카디건으로 곰돌이를 우악스럽게 감싸 집으로 향했다. 윤기 나던 회색 카디건이 형편없이 망가졌다. 다행히 오피스텔 14층은 고요했고 아무도 없었다. 혹시나 문 앞에서 누군가가 기다릴까 봐 긴장했지만 괜한 걱정이었다. 그렇게 주변을 살피며 품 안에 곰돌이를 가둔 상실이 집으로 들어갔다. 조심스레 문을 닫는 순간까지 목을 빼며 지나온 길을 확인하는 것도 잊지 않았다.

곰돌이와 함께 침대에 누운 그날 상실은 꿈을 꾸었다. 곰돌이가 상실을 올곧게 바라보았다. 그러고는 유채가 이야기하던 장면을 똑같이 보여주었다. 유난히 크고 형형하게 빛나는 보름달⋯. 상실은 너무나도 생생하게 보이는 모습에 다시 한번 황홀감을 느꼈다. 흑백의 세상이 곰돌이의 시선에선 너무나 화려했다. 그리고 다시 곰돌이와 눈을 마주했다. 자신을 직시하는 우주같이 깊은 곰돌이의 눈이 너무나도 강렬하고 깊어 꼭 블랙홀과 다름없이 보이기도 했다. 그 눈에 유채와 상실의 모습이 그려지다 지워지고 덧그려지길 반복했다. 워낙 짧은 사이에 이루어졌지만 웃고 있는 유채의 모습과 도로 위에 누워있는 모습이 빠르게 겹치며 일순간에 어그러졌다.

순간 잠에서 깬 상실은 이마를 타고 흐르는 땀방울이 관자놀이에 닿자, 그 느낌마저 소름끼쳐 재빨리 닦아버렸다. 집안은 분명 따뜻했는데 아까 공원에서처럼 발끝이 서늘했다. 손을 뻗어 핸드폰 시계를 보니 새벽 3시를 갓 넘었다. 곰돌이는 여전히 웅크리고 자고 있었다. 상실은 조용히 문을 닫고 나와 소파에 주저앉았다. 깜깜한 거실에서 핸드폰 화면만 빛났다. 고개를 뒤로 젖히고 눈 위로 팔을 올려버렸다. 그렇게 상실은 가슴 한구석에서 새어 나오는 생각을 차단했다. 핸드폰 화면이 꺼지자, 거실은 빛 한 점 없이 어두워졌다.

다음날 소파에서 잠든 상실이 일어났을 땐 거짓말처럼 세상은 다시 철저한 흑백으로 변했다.

일주일이 지나도 곰돌이는 늘 자고 있거나 반쯤 감긴 눈으로 축 처진 모습만 보였다. 곰돌이와 눈을 마주치기조차 쉽지 않았다. 상실의 인내는 바닥이 나고 있었다. 외출 준비를 마친 상실이 거실 한쪽에 웅크린 곰돌이에게 다가갔다.

"오늘은 좀 일어나. 진짜!"

거칠게 들어 올려 깨우자, 상실의 힘에 팔랑팔랑 흔들리던 곰돌이가 천천히 눈을 떴다. 그새를 놓칠세라 상실은 얼굴을 가까이 들이밀었다. 시선을 갈구하는 몸짓이었다. 마침내 시선이 마주쳤다. 곰돌이의 까만 눈 속 은하수가 가늘고 잘게 빛났다.

곰돌이가 집에 온 지 얼마 되지 않았을 때였다. 무슨 자신감인지 민준의 사무실을 찾아갔었다. 때마침 민준과 일하던 직원 한 명이 급히 휴가를 내 일손이 부족하던 참에 상실이 나타난 것이었다. 그날 민준은 콘셉트에 관해 설명하며 간단한 디테일과 현장 감리를 보면 되는 일을 제안했다. 상실은 망설임 없이 수락했다. 그 첫날이 오늘이었다. 다시 시작하는 날.

하늘을 올려다본 상실은 브라운 스카프 끄트머리를 매만지며 흥얼거렸다. 새로 산 스카프 색이 너무 고왔다. 비록 남들의 눈엔 짙은 회색으로 보일 테지만. 지나치게 흥얼거리는 상실을 사람들이 힐끗거려도 개의치 않았다. 상실의 눈에 세상은 너무 아름다웠다. 완연한 가을 하늘에 붉은 노을이 물들어가고 있었다. 어느새 도착한 매장에 들어서자 분주히 주변을 체크하는 민준이 보였다.

"어, 상실아. 저기부터 체크해줄래? 아, 그리고 곧 박 대표 온대. 이따봐."

민준이 건네준 도면을 받아 들고 상실은 모퉁이를 돌아 메인 공간에 들어섰다. 머릿속에 이미지를 상상하며 기대에 가득 차 있던 상실의 눈이 순식간에 식었다.

"이게… 뭐야?"

상실의 손에 쥐고 있던 도면이 허무하게 바닥에 툭 떨어졌다. 가을 소풍이란 콘셉트로 꾸며진 한쪽 벽은 색 조합이 하나도 맞지 않았다. 색연필을 마구잡이로 집은 아이들이 칠해 놓은 듯한 색들과 그 위에 더해진 패턴들은 상실의 눈살을 찌푸리게 했다. 흡사 서로 자기를 봐달라고 아우성치는 것처럼. 뭔가 한참 잘못됐다는 생각에 민준을 부르려 입을 뗐을 때였다. 타일 바닥을 경쾌하게 걷는 구두 소리가 가까워지더니 잊고있던 목소리가 상실의 뒤에서 들려왔다.

"음, 괜찮네. 좋아요."

한창 작업을 하는 시간에 들이닥친 박 대표의 출현에 다들 숨죽이고 있던 참이었다. 뒤따라 들어온 민준을 포함한 직원들의 얼굴에 화색이 돌기 시작했다. 상실의 눈이 혼란스럽게 흔들렸다. 지나친 기시감이었다. 오랜만에 마주한 박 대표는 10년 전 그때와 별반 달리 보이지 않았다. 오히려 더 단단하고 화려했다. 당시 사업이 크게 휘청였지만 이후 시장 흐름을 기민하게 파악해 빠르게 회복한 건 박 대표의 능력이었다. 어느새 상실의 얼굴을 확인한 박 대표가 팔짱낀 몸을 틀어 말을 건넸다.

"어? 성함이 뭐였죠? 우리 구면이잖아."

"안녕하세요. 박 대표님. 오랜만이네요."

"아, 상실의 날! 상실씨, 절대 못 잊지. 우리 오랜만이네? 마무리 잘 부탁해요."

살가운 박 대표의 인사에 양손을 그러쥔 상실이 공손히 허리를 숙여 인사했다.

모든 건 10년 전 그때와 달랐다. 상실은 더이상 빛바랜 운동화도 신지 않을뿐더러 손끝도 거칠지 않았다. 그런데도 이 갑갑한 마음은 그때로 돌아간 듯 여전했다.

"네. 알겠습니다. 박 대표님. 실장님 통해 또 연락드리겠습니다."

민준이 박 대표를 향해 깍듯이 인사했다. 그들은 다음 일정을 몇 마디 주고받았다. 한쪽 입꼬리를 올리며 미소를 지은 박 대표는 그렇게 또각또각 구두 소리와 함께 돌아갔다.

"와, 상실아 봤어? 박 대표가 웬일로 칭찬이냐. 맘에 들었나봐. 이거 초반에 진짜 고생많았는데…."

"…민준아, 나는 잘 모르겠어… 이게 맞는 건지. 색이 너무…."

혼란스러운 눈길로 정면을 응시하며 떠듬떠듬 말을 잇는 상실을 본 민준의 얼굴에 당혹한 기색이 어렸다. 금세 민준은 걱정스러운 얼굴로 바뀌었다. 상실의 몸이 갑자기 안 좋아졌는지 살뜰히 물어보기까지 했다. 그 모습에 말이 안 나와 한숨을 짧게 내뱉은 상실은 지독한 답답함을 느꼈다. 잠시 민준을 쳐다보곤 몸을 돌려 말없이 매장 밖을 나갔다. 바람이 불어와 상실의 머리가 날리며 시야를 가렸다. 상실이 크게 숨을 들이키자, 코끝이 시릴 정도로 찬 공기가 폐까지 깊이 전해졌다. 상실은 그저 걷고 싶었다. 번화가에 자리 잡은 매장이라 사방이 시끄러웠다. 색이 없어지자, 간판의 조명은 더욱 화려해졌고, 대비는 극을 이루었다. 거기에 상실에게만 보이는 요란한 색은 뾰족하게 상실의 눈을 찔러댔다. 상실은 눈을 질끈 감았다 떴다. 저 멀리 공원이 보이자 상실은 날카로운 색을 피해 그 속으로 도망쳤다. 상실이 좋아하는 디퓨져 향처럼 안정감을 줄 것 같았다. 일정한 간격으로 심어진 나무들을 보며 안심하기도 전에 녹색 잎을 가진 짙은 고동색 나무들이 날카롭게 형태를 갖춰 마치 포로를 대하듯 상실을 겨누고 있었다. 피할 곳을 아무리 찾아봐도 잘 벼려진 모든 색의 끝은 상실의 온몸을 옭아매며 내리누르고 있었다. 다리에 힘이 풀리며 고꾸라지듯 바닥에 주저앉았다. 그러자 저녁 산책을 하던 부부가 급히 다가와 상실에게 말을 걸었다.

"저기요 괜찮으세요? 숨 쉬세요!"

어깨를 감싸는 온기에 상실의 고개가 상대를 향해 천천히 들렸다. 걱정스러운 표정으로 붉은 피를 흘리고 있는 유채였다. 상실의 입에서 단말마 비명이 튀어나왔다.

"악!"

"어디 불편하신 겁니까?"

이어지는 남자의 목소리. 아기띠를 한 남자의 품 안에 아이가 고개를 돌려 상실을 보았다. 눈에 생기를 잃어버린 노란 곰돌이였다. 상실은 이가 달달 떨렸다. 현실을 부정하듯 고개를 잘게 흔들자, 곰돌이는 연기처럼 사라지고 이내 귀여운 남자아이의 얼굴로 바뀌었다. 넋이 나간 눈을 한 상실은 양손으로 머리를 쥐어뜯으며 무릎에 얼굴을 깊게 파묻었다. 마치 유일하게 숨을 수 있는 곳이 자신의 품인 양 그 몸짓이 몹시 애달프고 처절해 보였다. 상실의 행동에 놀란 부부는 어찌하지 못하고 서로를 멍하니 쳐다보기만 했다. 풀린 다리를 억지로 일으켜 뒷걸음치다 이내 자리를 떠났다. 너무나도 지친 상실은 집으로 가고 싶었다. 익숙한 향기와 온도가 있는 그곳에 가서 제발 쉬고 싶었다. 정신없이 오피스텔로 향하자, 입구에서 경비아저씨와 대화를 하는 건장한 경찰 두 명이 보였다. 상실의 눈이 요동치듯 흔들리기 시작했다. 왜 왔을까? 유채의 사고 때문인가? 아니면 누가 곰돌이를 신고한 걸까? 아니면 유채가 잡힌 건가? 설마 죽었나…? 한창 대화 중인 그들의 눈을 슬금슬금 피해 집에 도착한 상실은 재빨리 곰돌이부터 찾았다. 곰돌이는 외출 전 모습 그대로 잠들어 있다. 상실이 그것을 담요로 감싸안았다. 너무나도 거칠게 감싸 잘 여며지지 못한 천들이 너덜거렸다. 그리고 문을 나서려는 순간 멀리서 경비아저씨와 경찰관의 목소리가 들렸다.

"아니, 그때도 옥상에 아무것도 없었다니까. 방금 봤잖아요. 그 어린 아가씨도 봤어. 몇 호였더라…."

문 틈으로 그들의 움직임을 살피는 상실의 옷은 어느새 땀으로 젖어 있었다. 정갈했던 긴 생머리가 얼굴에 군데군데 들러붙어 있었다. 마치 어린이가 얼굴에 낙서한 듯이 엉망이었다.

반대편을 향해 걸어가는 그들을 보자 상실은 재빨리 복도를 가로질러 계단실로 몸을 숨겼다. 옥상을 향해 계단을 두 칸씩 올라갔다. 난간을 잡은 손이 미끄러워 품에 가둔 곰돌이를 떨어뜨릴 뻔했다. 상실은 숨이 턱까지 차올랐다. 축축한 손을 뻗어 문고리를 당겨보니 다행히도 손쉽게 열렸다. 이미 옥상은 확인한 것 같으니, 상실은 이곳에 제일 안전하리라 판단했다. 어둑한 옥상에서 더 깊은 어둠으로 걸어가며 상실은 거칠어진 숨을 고르고 있었다. 품 안이 서늘하다 느껴진건 막 호흡이 안정된 순간이었다. 우악스럽게 감싸고 있던 담요의 부피가 눈에 띄게 줄어있었다.

곰돌이가 사라졌다.

놀란 눈으로 주변을 다급히 살피던 상실의 손등에 연한 빛이 닿고 있었다. 빛을 따라 고개를 천천히 들어올리자 구름이 느긋하게 걷히고 있었다.

보름달.

정확히 꿈속에서 보았던 크고 형형했던 보름달이 상실을 환하게 비추고 있었다. 엉망으로 접힌 담요가 상실의 품에서 허망하게 떨어졌다. 상실의 유일한 구원이 사라졌다.

다음날이 되고 또 다음날이 돼도 색은 사라지지 않았다. 상실은 또 한번 좌절했다.

***

본격적인 퇴근길이 시작된 저녁 시간. 사선으로 쏟아지는 비에 우산을 방패 삼으며 두꺼워진 옷차림을 한 사람들이 거리를 메꾸기 시작했다. 신발을 적실 정도로 추적한 거리와 달리 포근한 온기로 가득한 카페 안에 일기예보가 흘러나왔다.

"…전국이 대체로 흐린 가운데 비가 내리겠습니다. 일부 지역은 내일까지 비나 눈이 내리겠고 비가 그치면 전국에 본격적인 한파가 시작…."

테이블을 정리하던 카페 주인은 창밖에 검은 우산을 쓴 여자에게서 눈을 뗄 수 없었다. 창가에 앉은 단골들의 쑥덕임은 여자의 존재를 한층 더 부각했다.

"야, 또 왔다. 저 선글라스. 오늘은 비도 오는데…."

"내 말이 맞지? 오늘 보름이잖아."

턱짓으로 밖을 가리킨 단골들은 제멋대로 여자의 사연을 써 내리기 시작했다.

짙은 선글라스는 상실이 세상과 가까워지는 유일한 수단이었다. 너무 짙은 나머지 상실의 세상은 언제나 늦저녁같이 어두웠다. 도대체 어디서부터 잘못된 걸까. 그때 그 시작의 자리에서 서있는 상실은 고개를 치켜들고 비 내리는 밤하늘을 올곧게 쳐다보았다. 목에 핏대가 설듯이 힘을 준 두 눈엔 결연한 의지마저 서려 있었다. 고고하고 비참한 자태였다. 단 한 번만 다시 마주할 수 있다면… 단 한 번만…. 고개를 뻣뻣이 들수록 빗물이 마구잡이로 얼굴에 튀었다. 상실은 쏟아지는 어둠 속에서 그때의 반짝임을 갈구하고 있었다. 지난 날 까만 눈동자에서 반짝임을 찾던 그때보다 더욱 절실히. 그 여름의 끝자락, 하늘에서 떨어진 존재에게 꼭 해야 할 말이 있었다. 몇 시간 내내 곧게 서있던 상실의 몸이 추위에 잘게 떨렸다. 발끝의 감각이 무뎌지며 우산을 쥔 손끝이 하얗게 아려왔다. 상실은 이전의 삶으로 돌아가고 싶었다.

빗방울이 맺힌 짙은 선글라스 너머 눈동자가 흔들리며 붉게 젖었다.

열 걸음

이서연

이서연   여러분은 열등감을 느낀 적이 있으신가요? 저는 오랫동안 열등감을 원동력으로 살아온 사람입니다. 이는 때로 빠른 성장에 도움을 주기도 했지만 대체로 제게 큰 결핍과 상처가 되었습니다. 그런데 상처받는 건 저 분만이 아니더라고요. 열등감이라는 에너지는 빠르게 퍼져 제 주변 사람들까지도 괴롭게 만들었습니다. 저는 이제 더 이상 타인과의 비교를 통해 열등감을 만들어내지 않습니다. 오늘도 열등감을 느끼며 스스로 초라해지기를 자처하는 사람이 있다면, 저의 소박한 이야기가 위로가 되기를 바랍니다.

인스타그램: @__chorok

다시는 만나고 싶지 않았던 진화에게서 전화가 온 건 정말 의외의 순간이었다. 시간은 새벽 5시에 가까워지고 있었다. 흔히 성공한 사람들은 벌써 일어나 차 한 잔과 함께 하루를 시작할 무렵이었다. 그러나 그것은 나와는 상관없는 일이었다. 나는 아직도 잠들지 못한 채 무의미하게 취업 공고 사이트만 뒤지고 있었다. 다시 무기력하게 움츠러들고 있었다.

'진화 넌 자꾸 이런 순간에만 다가와 나를 깨우는구나.'

이유 모를 화가 다시 치밀어 올랐다. 참을 수 없는 답답함에 가방을 챙겨 밖으로 나왔다. 챙겨온 가방 안에는 핸드폰과 지갑, 공책 한 권이 들어있었다. 바쁘게 걸어가는 사람들 속에서 아주 천천히, 느리게 걸었다. 다시 진화에게 왔던 전화가 떠올랐다. 전화는 받지 않았다. 아직까지 아무것도 못 한 내가 부끄러웠다. 핸드폰을 꺼내 보니 문자 한 통이 와있었다.

'잘 지내고 있어? 만나자.'

일절 재지 않는 직선적인 말투. 역시나 진화였다. 시간은 벌써 9시가 다 되어가고 있었고, 나는 근처 카페에 들어가 공책을 꺼내보았다. 진화의 모습이 가득 그려져 있었다. 이 공책을 기어코 들고 온 내가 웃겼다. 나는 진화와의 기억을 되새기기 시작했다.

진화를 처음 만난 건, 3개월 전 도망치듯 떠난 제주도 여행에서였다. 그때의 나는 지금과 마찬가지로 무기력했고, 혼란스러웠다. 다른 점이 있었다면, 그때는 내가 잘 살고 있다고 착각했다는 것이다. 성실하게 대학교에 입학해 열심히 공부했고, 스펙을 쌓았다. 사람들은 모두 내가 취업까지 탄탄하게 잘 해낼 것이라고 말했다. 나 역시 이런 평가가 싫지 않았기에, 바르고 성실히 살았다. 그러나 시간이 지날수록 점점 혼란스러워졌던 것 같다. 뭘 하는 건지 모르겠다는 복잡한 생각들이 날 덮쳤다. 나는 혼자 모든 것이 엉망으로 꼬일 것 같다는 극한의 불안감에 시달렸다. 심장이 계속 두근거렸다. 그렇게 아무 일도 일어나지 않은 평범한 어느 여름날, 나는 쫓기듯 제주행 비행기를 탔다. 진화를 만난 건 그 비행기 안이었다.

지친 마음으로 비행기 의자에 앉아 더운 숨을 몰아쉬었다. 그 옆에는 진화가 앉아있었다. 정돈되지 않은 듯 뽀글뽀글한 짧은 머리, 더운 날씨에 어울리지 않는 품이 큰 니트. 그녀가 들기에는 너무도 무거워 보이는 카메라 가방. 나와는 정말 다른 사람이구나. 이것이 진화에 대한 나의 첫인상이었다. 나는 조용히 자리를 정리했다. 혹시 그새 머리가 헝클어졌을까 싶어 비행기 유리창에 미세하게 비친 모습을 보며 머리를 빗었다. 진화는 신난 듯 헤드셋을 끼고 몸을 흔들었다. 눈이 마주쳤다. 아, 마주치기 싫었는데. 급한 대로 엉성한 미소를 지어 보였다. 그녀는 신난 듯 내게 말을 걸었다.

"안녕하세요! 전 진화예요. 강진화! 여행 가시나 봐요."

"아 네. 방학이라서"

"대학생이시구나!! 저도에요. 휴학생이긴 하지만… 저는 사진 찍어요. 이번 제주도 스냅 사진 왕창 찍고 오려고요!"

예상대로 진화는 발랄했다. 물어보지도 않은 말들을 늘어뜨리며 벌써 제주에 와있는 듯 신이 나 있었다. 심심했는데 차라리 잘 되었다 싶었다. 나는 진화의 얘기와 함께 비행을 시작했다.

그녀는 서온대 공대생이었고 나와 같은 4학년이었다. 사진을 찍는 게 좋아 무작정 휴학을 했다고 말했다. 그녀는 기다렸다는 듯 사진을 찍기 위해 갔던 곳들에 대한 무용담을 늘어놓았다. 대화 중간중간 대단하다며 호응했지만, 사실 무모하다고도 생각했다. 아니, 어쩌면 조금 불편하기까지 했다. 취업을 앞에 둔 대학생이 무작정 휴학을 하다니. 내 사전엔 있을 수 없는 일이었다.

"너 취업 준비는 안 해?"

속으로만 생각하던 날 선 질문이 나와버렸다. 무심코 뱉어버린 말에 당황해 그녀의 표정을 살폈다. 다행히 그녀는 싱긋 웃으며 대답했다.

"우리 엄마랑 똑같은 얘기 하네! 그래도 어리니까 하고 싶은 건 다 해보려고. 시도도 해보지 않으면 아쉽잖아."

진화의 말을 듣고는 할 말이 없어졌다. 너무 맞는 말이었다. 나는 수긍하듯 고개를 끄덕이고는 비행기 창 밖으로 시선을 돌렸다. 그래.

어릴 때 하고 싶은 거 다 해봐야지. 어쩐지 진화의 말이 나의 이 무계획 여행을 보호해 주는 것 같아 기분이 좋았다.

'제주도에 도착해서 뭐부터 해야 하지. '

'어디 갈지 아무런 계획도 못 세웠네.'

우울한 고민이 또 나를 덮쳤다. 꼬리를 무는 생각들을 피하고자 다시 진화를 힐끔 관찰하기 시작했다. 진화는 큰 카메라로 비행기 내부 이곳저곳을 찍는 시늉을 하고 있었다.

아무런 고민 없이 신나 보이는 진화를 보며, 어릴 때의 나 같았다. 나도 그림을 그리며 동화 작가를 꿈꿨던 적이 있었지. 미술 입시를 준비하면서 재능의 차이를 느끼고, 그냥 성적에 맞춰 대학에 들어오게 됐지만. 좋을 때다 싶었다. 그렇게 생각해 보니 진화의 모습이 어린아이같이 귀여웠다. 어쩌면 그녀와 잘 맞을지도 모르겠다. 비행기가 착륙을 준비할 무렵 나는 진화에게 여행을 함께 하자고 했다.

대체로 우리의 여행은 진화가 이끌었다. 그녀는 늘 앞장서서 뛰어다니며 예쁜 공간들을 찾아다녔고, 나는 항상 그녀의 뒷모습을 보며 천천히 걸어갔다. 진화는 오름에 올라 마을을 한눈에 내려다보는 것을 좋아했다.

제주도에 온 지 3일이 지나던 날, 진화는 어김없이 비장한 표정으로 사진 스팟을 찾아뒀다며 성산일출봉에 올라야 한다고 말했다. 나는 그저 고개를 끄덕이며 노트와 펜을 챙겼다. 여행을 하며 생긴 습관이 있다. 진화가 사진을 찍기 위해 멈춰 있는 동안, 진화의 모습을 그린 것이다. 사진을 찍는 진화의 모습은 내게 자꾸 포기했던 작가의 꿈을 떠올리게 했다. 꿈꾸고 싶게 만드는 사람. 진화는 내게 그런 존재였다. 성산일출봉에 오르기 전 우리는 간단히 밥을 먹고, LP 음악이 흐르는 바다뷰 카페에 들어갔다. 나는 늘 아메리카노를, 진화는 딸기 라테를 마셨다. 진화는 내게 지금까지 그린 그림들을 보여달라고 했다.

"우와. 너 그림 진짜 잘 그린다!"

"아냐. 어렸을 때 잠깐 입시 미술 했던 거야."

"아 진짜? 완전 재능있다. 입시 미술도 했었구나. 지금은 그림 안 그려?"

"지금은 안 그려."

"너무 아쉬운 실력인데…. 다시 해봐!"

"너 보면 나도 다시 도전해 볼까 싶은 마음도 들긴 해. 근데 원래 애매한 재능이 제일 괴로운 거 알지. 괜히 또 기대했다가 실망할 일 생기면 나만 힘들어서, 너도 알잖아. 사진도 진짜 재능 있는 사람들은 다른 거 알지?"

나는 웃으며 말을 돌렸다. 그러나 재능 있다는 진화의 말은 내게 큰 충격으로 다가왔다. 진화는 날 계속 흔들어 깨우는 존재였다. 그런 진화가 좋으면서도 싫었다. 사실은 진화의 모습을 보면서도 움츠러드는 관성을 유지하려는 내가 싫었다.

노을이 지는 시간에 맞춰 우리는 성산일출봉에 오르기 시작했다. 진화는 날씨가 맑아 인생샷이 나올 것 같다며 벌써 신나있었다.

"너는 산이 좋아 바다가 좋아? 진화가 물었다."

"나는 바다가 좋아. 힘든 건 딱 질색이야."

"그래? 난 산이 더 좋은데. 올라가는 과정은 좀 숨차긴 한데, 정상에 도착했을 때의 그 자유로움…! 헤어 나올 수가 없어."

사소한 것 하나하나까지 진화는 나와 너무 다른 아이였다. 진화의 밝음이 부러웠다. 나도 진화처럼 밝게, 긍정적으로 살았다면, 지금처럼 방황할 일도 없지 않았을까. 그랬더라면, 이 그림도 계속 붙잡고 있었을까. 반짝이는 진화는 정말 주인공 같았다. 그에 반해 시간이 지날수록 나는 그저 엑스트라에 불과해 보였다. 반짝이는 진화 뒤에 붙은 그림자 같았다. 부러움과 함께 마음이 더 복잡해졌다.

"수진아. 가자!"

언제 출발한 건지, 진화는 저 멀리서 날 부르고 있었다. 함께 여행했지만 단 한 순간도 나란히 걸은 적이 없다는 것을 깨달았다. 열 걸음 채 되지 않는 거리 끝에 선 진화가 너무 멀어 보였다. 좀 전과는 다른 감정이 피어올랐다. 혼란스러운 감정을 뒤로한 채 다시 진화를 따라 걸었다.

나도 모르는 새에 깊어진 마음은 생각보다 예상치 못한 순간에 터져버린다. 언제 돌아갈지도 모를 여행에 온 지 6일이 지났을 무렵이었다. 여느 때와 다름없이 우리는 오름에 올라, 지는 노을을 바라보고 있었다. 나는 노을을 찍는 진화의 뒷모습을 지켜보았다.

"어쩌다 사진을 찍어야겠다고 다짐했어?"

그녀가 카메라를 내려놓자 나는 기다렸다는 듯 조용히 물었다.

"음… 사실 별 큰 이유는 없어. 그냥 좋으니까 시작했지."

진화는 나를 뚫어지게 쳐다보았다.

"너는? 지금까지 넌 내 얘기만 물었잖아. 넌 하고 싶은 거 없어?"

"나는… 그냥 평범하게 살았어. 이렇게 사는 게 좋아."

"그림은 왜 포기했어? 계속 해보지 않고."

울컥했다.

"아닌 거 붙잡고 있는 것도 객기야. 꿈꾸는 거, 도전하는 거 다 좋은데 그래도 현실성은 있어야 하니까. 난 현실적으로 생각했던 거고."

진화는 말을 하려다 멈췄다. 여전히 나를 뚫어지게 쳐다보았다. 진화는 내게 실망한 듯 보였다. 그러나 이게 나의 진심이었으므로 내뱉은 말을 후회하지는 않았다. 나는 고개를 돌려 거의 저문 태양을 바라보았다. 주인공 같은 진화의 삶에 대한 강한 반발심은 그때야 비로소 직관적으로 볼 수 있게 되었다.

"너의 생각 존중해. 뭐가 맞는지는 중요하지 않아. 그냥 우린 뭐든 선택하고 그에 맞게 잘 살면 되는 거겠지. "

진화는 나의 질투를 하나의 신념으로 포장해 주었다. 그마저도 나는 자존심이 상해 진화를 쳐다보지 못했다.

다음날 진화는 서울로 돌아가겠다고 말했다. 이유를 물었지만 그저 말을 돌릴 뿐이었다. 갑작스러운 진화의 태도에 화가 났다.

"여행 내내 네가 가고 싶은 곳만 가더니. 갑자기 혼자 서울로 가겠다고? 왜 이렇게 제멋대로야?"

진심은 아니었다. 내가 진화에게 이렇게까지 말할 수 있다고? 나도 당황스러웠다. 상처받은 진화의 얼굴을 뒤로 하고 도망쳤다. 그 길로 나는 서울에 돌아왔다. 무엇을 위한 여행이었나, 그저 내 유치함과 방어기제를 확인하기 위한 여행이었나 하는 회의감이 들었다. 이때의 나는 진화로 인해 생겨나는 감정들을 어찌할 줄 몰랐고, 모두 진화의 탓으로 그냥 돌려버렸다. 서울로 돌아오는 지하철 안에서 다시는 진화를 만나지 않겠다고 다짐했다.

그 후로 지금까지 크게 바뀐 것은 없다. 제주에서 느낀 감정에 대해 스스로 더 생각해 봤으면 모르겠지만, 돌아와서 밀린 일을 처리하기에도 바빴음으로 다시 진화에 대해서 생각할 여유는 없었다. 아니 사실은 생각하지 않으려고 바쁘게 살았다는 표현이 더 맞을지도 모른다. 역시나 안정적으로 사는 게 내게는 맞다며 다시금 피어오르는 꿈을 접고 있었다. 그런데 또 이렇게, 이 짧은 문자에 나는 흔들리고 있다. 밖은 벌써 어두워져 있었다.

'응. 만나자.'

그래, 인정하자. 나는 지금의 진화가 궁금했다. 짧은 문자를 보낸 후 서둘러 집으로 돌아갔다. 이후 진화와는 거의 연락이 닿지 못했다. 만나기 전에 몇 마디 대화라도 나눴으면 좋았겠건만. 진화는 일주일 뒤 종각역으로 오후 5시까지 나오라는 말을 남기고 사라졌다. 그날은 유독 잠이 오지 않았다. 여전히 참 내 마음을 복잡하게만 만드는 사람이다. 진화를 만나 헷갈리는 감정을 모두 털어놔야겠다고 다짐했다.

일을 마치고 바르게 퇴근하는 사람들 사이에서도 진화는 본인만의 분위기를 풍겼다. 종각역 앞에서 이어폰을 끼고 있는 진화는 어렵지 않게 찾을 수 있었다. 나는 오랜만이라는 상투적인 말과 함께 싱거운 미소를 지어 보였다. 진화는 처음 만났을 때 비행기 안에서 봤던 어설픈 웃음이라며 한참을 웃었다. 조금은 길었지만 여전히 뽀글뽀글한 머리, 한참 큰 후드티. 참 변함없이 진화였다. 우리는 이른 저녁을 먹으러 근처 라멘집으로 들어갔다. 진화는 일본 음식에 빠졌다며, 조만간 일본에 꼭 갈 거라고 두 주먹을 불끈 쥐어 보였다.

"갑자기 만나자고 연락해서 당황하지는 않았어?"

"좀, 놀라긴 했어. 3개월 만이었으니까"

"저번 주에 다시 제주도에 갈 일이 생겼었어. 상업 촬영하러. 나 이제 사진으로 돈 벌거든. 너랑 갔던 데 다시 갔는데 뭐 하고 사나 궁금하더라고. 보고도 싶었고."

진화는 뿌듯한 듯 미소를 지어 보이면서도, 내 눈치를 살피는 듯했다. 내가 다시 늪에 빠지는 동안 결국 넌 사진작가가 되었구나. 씁쓸한 마음이 들었지만 이내 옅은 미소를 지어 보였다. 다시 말실수하지 않기 위해 애썼다.

"너는. 나 안 보고 싶었어? 그렇게 가놓고 연락 한 통도 안 하고."

아무 말도 할 수 없었다. 나는 진화가 보고 싶었던 걸까?

"우리 근처에 카페 들어갈까?"

우물쭈물 말 못 하는 내게 진화는 자연스럽게 시간을 더 주었다. 또 마주한 진화의 반짝임. 차라리 진화가 내게 화를 내줬으면 좋겠다고 생각했다. 나는 또 내가 싫어졌다. 우리는 카페에 들어가 자리를 잡았다. 괜히 미안한 마음에 내가 음료를 시키고 오겠다고 말했다.

"너는 딸기 라테?"

"오. 어떻게 알았어?"

"너 제주도에 있을 때, 카페만 들어가면 맨날 딸기 라테 먹었잖아."

"오 기억하고 있네. 그래도."

살짝 민망해져 얼른 음료를 시키러 1층으로 내려왔다. 어떻게 말해야 할까. 제주도에서 내가 느낀 감정이 무엇인지 명확한 단어를 찾지 못했다. 나는 늘 진화가 좋으면서도 미웠다. 그리고 진화가 미워지는 시기는 늘 나와 반대되게 반짝이는 진화의 모습을 보았을 때였다. 나보다 훨씬 잘살고 있는 진화에 대한 열등감. 그래, 늘 문제는 나한테 있었지. 진화에게 느낀 나의 감정은 한 단어로, 열등감이었다. 생각의 늪에 빠져있을 때쯤 시킨 음료가 나왔다.

"너는? 서울 와서 어떻게 살았어?"

딸기 라테에 집중하던 진화가 갑작스레 내게 물었다. 사진작가로 자신의 길을 걷고 있는 진화 앞에서 아직 아무것도 하지 못했다고, 여전히 움츠려있는 상태라고 말할 수 없었다. 두 눈을 감고 심호흡을 했다.

"나 사실 제주도에 있을 때 너 보면서 되게 열등감 많이 느꼈어."

말을 멈추고 진화를 쳐다보았다. 진화의 표정을 읽을 수 없었다. 더 말을 이어가려는 순간 진화는 이상하게도 말을 돌렸다.

"그럴 수 있지. 한참 네가 방황했던 시기이기도 하니까. 지난 일이잖아 그리고."

이상했다. 일단 솔직하게 말하면 얘기가 자연스럽게 이어질 줄 알았는데 진화는 오히려 나의 솔직함을 불편해하는 것 같았다. 나는 더 이상 말을 이어갈 수 없었다. 이후 진화와의 대화는 계속 겉돌았다. 진화는 대화 내내 불편해하는 것 같았다. 결국 카페에 들어온 지 1시간이 지나기도 전에 언제 또 한 번 만나자는 뻔한 말과 함께 우리는 헤어졌다. 날씨는 제법 추워지고 있었다. 퇴근길로 붐볐던 길에 어느새 나 혼자 서 있었다. 나는 알 수 없는 감정에 잡혀 집에 돌아왔다. 진화가 왜 대화를 피했는지 모르겠다.

일주일 뒤 아르바이트가 끝나고 집에 누워있던 와중 진화에게 전화가 왔다. 다급히 전화를 받자, 진화는 종각역 포장마차로 나오라고 소리쳤다. 꽤 술에 취한 듯한 목소리였다. 나는 곧바로 짐을 챙겨 나갔다.

"진화야. 왜 이렇게 취했어?"

"야. 너 이수진."

"왜. 무슨 일 있어?"

"네가 무슨 열등감을 느꼈다고? 나는 네가 이해가 안 돼."

"너 여행 내내 나 무모하고 생각 없는 사람 취급하면서 한심해했잖아. 내가, 내가 꿈도 많고 결단력 좋다고 칭찬하는 듯 얘기하면서도 대책 없다는 듯 쳐다봤잖아!!"

포장마차에 들어가자, 진화는 기다렸다는 듯 내게 소리를 질렀다. 포장마차 안에 있던 사람들의 시선이 느껴졌다. 그렇지만 그런 시선을 신경 쓸 때가 아니었다. 내가 진화를 무시했다고? 말도 안 되는 소리였다. 나는 오히려 진화의 모습을 동경했다.

"무슨 말이야! 나는 늘 네가 부러웠어. 꿈을 좇는 네가 멋있다고 생각했고 너라면 잘 될 거라고 생각했다고."

"아니? 너는 내가 잘되길 바란 적 없어. 겉으로는 멋있다고 치켜세워주면서도 속으로는 분명 잘 안될 거라고 생각했겠지. 그래야 평범하게 사는 너 스스로를 합리화할 수 있었을 테니까. 내가 왜 서울로 돌아가겠다고 말했는지 알아? 너랑 있으면 내가 다 부정적인 사람이 되는 것 같았어. 너한테서 계속 에너지를 뺏기는 느낌 같았다고.

생각해 보면 진화의 표정이 티 나게 굳어지는 순간들이 있었다. 사실 재능에 대해 말하며 괜히 기대했다가 실망하기 싫다고 말했던 그때, 진화의 표정이 잊히지 않는다. 진화는 나로 인해 상처를 많이 받은 듯 보였다. 여행 내내 분명 나는 진화에게 열등감을 느끼고 있었다. 그러나 이것이 진화에게 상처를 주었을 거란 것은 상상하지도 못했다. 부끄러웠다. 나는 감당할 수 없는 열등감에서 벗어나기 위해 은근히 진화를 끌어내리고 있었다. 울고 있는 진화를 보며, 인정할 수밖에 없었다. 진화는 지친 듯 비틀거리며 일어났다. 나는 자리를 정리한 후 널브러져 있는 진화의 가방을 챙겨 그녀를 따라갔다. 그동안 봤던 진화의 뒷모습 중 가장 싸늘했다. 아무 말도 할 수 없었다. 여전히 우리 사이에 놓인 열 걸음은 너무도 멀게 느껴졌다.

"진화야."

진화는 불러도 대답이 없었다.

"너 말 다 맞아. 네가 나에 비해 너무 대단한 사람 같아서 경계했던 것 같아. 이걸 이제야 안 내가 너무 싫다."

한참을 걸었을까. 진화는 뒤를 돌아 나를 쳐다보았다. 여전히 싸늘한 눈빛으로 한숨을 푹 쉬었다.

"수진아. 제주도 숙소 처음 들어갔던 날 네가 나한테 그랬지, 뭘 하고 싶은지 모르겠다고. 잘 몰라서 공부만 열심히 하고 남들 하는 거 다 따라했다고. 그때 너 그 말 하면서 스스로 되게 한심해했던 거 알아?"

진화는 내게 한 발 한 발 다가왔다.

"너 남들이 하는 건 다 정답처럼 봐주면서, 정작 본인이 하는 거는 하나도 인정 해주지 않는 거 알아? 그림도 그러다가 포기하게 된 거잖아. 네가 너 스스로를 너무 싫어해서."

진화는 어느새 내 바로 앞까지 걸어와 내가 들고 있던 가방을 가져갔다.

"우리 제발 초라해지지 말자. 아니 적어도 스스로를 초라하게 만들지는 말자."

여전히 차가운 말투였지만, 분명 진화는 가방을 건네주고 뻘쭘해진 나의 손을 꽉 잡으며 내게 힘을 실어주었다. 이 한마디를 남긴 채 진화는 혼자 걸어갔다. 나는 더 이상 그녀를 따라가지 못하고 뒷모습만 쳐다보았다. 진화가 보이지 않을 때까지 한 걸음도 움직이지 못했다. 머리 위에 켜져 있는 가로등이 꺼졌으면 좋겠다. 지금껏 그려오던 모든 그림을 다 찢어버리고, 다시 새로 그리고 싶다는 충동이 일었다. 한참을 그렇게 가만히 서 있었다.

낭만재판

박제현

박제현   1995년 서울에서 태어나 지금까지 25개국을 여행했고 앞으로 더 많은 나라를 가보는 게 꿈이다. 한때는 에디터를 꿈꾸며 2018년 컨셉진 에디터스쿨 11기를 수료, 이후 2021년에 나만의 인터뷰 책자 '우후지실(雨後地實)'을 제작했다. 2022년에는 '도란의 하루' 플랫폼을 직접 개설해 독서와 글쓰기 모임을 운영했으며 이외 501g 영감의 서재 4기의 뮤즈 멤버, 글쓰기 프로젝트 WRITE NOW에 참여하며 꾸준한 활동을 이어왔다. 2024년, 책 〈그들이 잃어버린 것〉으로 작품 활동을 시작해보려 한다.

인스타그램: @b.myhyun
인스타그램: @doran.day

띠리띠리띡. 띠리디리딕. 꿈을 꾸고 있었다. 지금 이 알람 소리조
차 꿈이었으면 했다. 시끄러운 알람 소리에 잠깐 눈을 떠 시계를 보니
07:45 AM. 다행히 오늘은 아침 PT를 가지 않아도 돼 서둘러 알람을
껐다. 평소보다 더 많이 자는 날이면 개운할 것 같지만 잠은 이상하게
더 많이 잘수록 더 자고 싶다. 어쩌면 방금 꾸던 꿈을 계속 꾸고 싶었
는지도 모른다. 품에 안고 있던 분홍 코끼리 인형에 다시 얼굴을 묻고
스르륵 잠이 들었다.

“안녕하세요, 책 〈낭만재판〉의 저자 박혜령입니다. (관객들의 박수
소리와 함성) 정말 이렇게 과분한 사랑 주셔서 진심으로 감사드리구
요. 여러분 덕분에 제가 이렇게 어린 시절부터 꿈꿔온 작가라는 꿈을
이룰 수 있었던 것 같아요. 오늘 정말 멀리서 와주신 분들도 많은 걸로
아는데 이 시간이 여러분의 기억에 정말 소중한 순간이 됐으면 좋겠
습니다. 지금부터 한분 한분 제가 사인을 해드리도록 할 건데 각자 본
인 차례가 되시면 저한테 그동안 궁금했던 거 마음껏 물어보시고 재
밌는 이야기 많이 나누고 가셨으면 합니다. 다시 한번 와주셔서 진심

으로 감사드립니다"

혜령은 올해 서른이다. 동기 오빠가 서른이 되던 해에 한 번 제대로 놀려주겠다며 12시 땡하고 동기들이랑 다 같이 카카오톡 선물하기로 계란 한 판을 보내준 게 엊그제 같은데 벌써 내 차례가 됐다. 서른이 되면서 처음엔 갑작스럽게 찾아온 이별의 슬픔을 극복하는 방법으로 운동을 시작했다. 약속의 유혹을 뿌리치는 어려움만 빼고는 모든 게 잘 맞았다. 나를 위한 시간이지만 혼자가 아닐 수 있었고, 머릿속에 떠다니는 수많은 잡생각을 줄일 수 있었다. 삶에 일 이외에 또 다른 무언가가 있다는 것, 그걸 계속해서 해내는 것에서 오는 성취감도 꽤 컸다. 쌤이 바뀌는 게 싫어 수업 시간을 오전으로 바꿨다가 저녁보다 아침 운동이 나랑 더 잘 맞는다는 걸 알게 되기도 했다.

작년 7월부터는 독서 모임에서 꾸준히 사람들과 책을 읽고 각자 느낀 점에 대해 서로 이야기를 나누고 있다. 거래처의 메일이나 공지 사항이 아닌 책을 읽을 때 비로소 글을 이해함을 넘어 느끼게 되고, 정확해야 하는 이해와 달리 느끼는 것에는 정답이 없어 우리는 저마다 다른 감상을 할 수 있었다. "읽고 잊어버리고 보고 잊어버리고 듣고 잊어버리고. 그러나 안 읽고 안 보고 안 듣고 한 것보다는 가치가 있는 것 같다." 김환기 화백의 말씀 중 정말 좋아하는 구절인데 글을 보고 느낄 때, 그런 나를 볼 때, 나 또한 그 순간만큼은 정말 본연의 나와 마주하게 됨을 느낀다.

스물아홉에서 서른으로 넘어가는 날 밤, 그날 밤은 뭔가 다를 것 같앉는데 마치 첫 키스가 끝나고 종소리가 울리지 않은 것처럼 별다를 거 없이 그저 평범하게 지나갔다. 다만 혜령이 지금처럼 그녀를 잃지 않고 살 수 있게 된 데에는 일련의 사건들이 있었다. 다행인지 불행인지 그 시절 혜령은 '나'를 잃을 뻔했고 덕분에 지금은 '나'를 지킬 수 있게 되었다. 우리는 이걸 낭만이라 부르기로 했다.

때는 4년 전, "안녕하십니까~!" 혜령은 항상 밝은 목소리로 인사를 했다. 어딜 가서 일 못한다는 소리는 들어본 적이 없는 그녀였기에 취업난에도 당당히 공채로 입사에 성공했고 뭘 해도 열심히, 적극적으로 일하는 신입사원이었다. 그때부터 모든 게 순조로워질 줄 알았다. 하지만 실전은 달랐다. 가뭄에 콩 나듯 칭찬받고 숨 쉬듯 혼났다. 혼나는 이유도 정말 가지각색이었는데 그냥 쳐다봤다가 어디서 신입사원이 쳐다보냐며 별안간 호통을 듣기도 했고, 위에서 갑자기 내려온 업무를 처리하다가 메일도 안 읽고 내 입장에서만 생각하는 이기적인 사람이 되기도 했다. 어릴 때부터 항상 임원을 도맡아 하고 팀플에서는 대본 없이도 발표를 척척 해내는 당당함의 아이콘 혜령이었는데 사회에서는 어느새 시시콜콜한 상사의 농담 하나도 받아치지 못할 정도로 움츠러들게 되었다. '미움받을 용기? 그거 있는 사람 나와보라고 해….' 그저 머릿속으로 외칠 뿐이었다.

그날도 어김없이 회사 안팎에서 치이고 혹여나 거래처에서 담당자를 바꿔 달라고 연락이 오지는 않을까 전전긍긍하며 회사에서 저녁도 못 먹고 야근을 했다. 이런 팍팍한 하루 속에서 혜령이 가장 기다리는 시간은 자기 전 발 뻗고 침대에 누울 때이다. 자는 것이야말로 가장 이기적인 행위라는 글을 본 적이 있는데 오로지 나를 위해 하는 일이라는 것이다. 그래서 언제부터인가 꿈꾸는 시간을 좋아하게 되었다. 꿈속에서는 그 누구라도 될 수 있기 때문이다.

어떤 날은 내가 고등학교 방송반 DJ가 되어 점심시간에 방송을 했다. 여리여리한 외모에 긴 생머리가 흘러내리지 않을 정도로 얇은 머리띠를 한 소녀는 마치 요즘 내가 가장 빠져있던 드라마 '스물다섯, 스물하나' 속의 주인공 같았다.

[오프닝 음악 : ♪이세계 - 낭만젊음사랑]

"안녕하세요! 여러분의 점심시간을 더욱 풍성하게 만들어 줄 태양고등학교 방송반의 박혜령입니다. 오늘도 점심시간이 기다려지는 분들 많으시죠? 오늘 점심 메뉴는 어제보다 더 맛있을 것이라고 하니, 기대해도 좋을 것 같아요! 코로나19 때문에 수업이 계속 바뀌고 축제랑 수학여행은 걸핏하면 취소되어서 많이 아쉬우실텐데 오늘 점심만큼은 친구들과 함께 맛있게 즐기시면서, 잠시 일상의 스트레스에서 벗어나 힐링의 시간을 가져보세요. 점심 식사 후에는 잠시 산책도 좋고, 친구들과 이야기를 나누며 여유를 즐기는 것도 좋겠죠? 어서 빨리 코로나가 끝났으면 하는 의미에서 팬데믹을 이겨낼 노래로 이만 인사드리겠습니다. 즐거운 점심시간 되세요, 안녕!

[오프닝 음악 : ♪하현우 - 돌덩이]

그렇게 요즘 머릿속에서 많이 하는 생각들이 자꾸 꿈에 나오는 혜령이었다. 최근 회사에서 조직개편을 크게 하면서 유달리 유난이 심한 여자 상사가 우리 본부로 오게 되었다. "나 내년에 마흔처럼 안 보이지 않아?" 보톡스를 맞더니 하루 종일 모니터보다 거울을 더 많이 쳐다본다. 나한테 본인의 일이란 일은 다 던져놓고 본인은 어제 본 뉴진스 뮤비의 누가 어땠는지 걔가 한 귀걸이가 예뻐서 어제 오픈런을 해서 샀다는 둥 혼자만 즐거운 이야기를 잔뜩 늘어놓았다. 칭찬에는 참 인색하고 비판에는 참 후한 사람이다. 9를 잘하다가 1을 못 하면 10 전체를 다 못한 사람처럼 단톡방에서 공개 처형을 했다. 그래도 상사니까, 괜히 아침부터 스몰토크도 해보고, 자발적으로 그녀의 일도 도와보았다. 하지만 돌아오는 건 그녀의 비판이었다. 나는 가만히만 놔둬도 열심히 할 사람인데, 그녀는 자기 기준에 모든 걸 부합시켜야 하는 사람이었고 '나'를 잃게 만드는 그녀로 인해 나의 낭만 지수는 점점 떨어져 갔다. 그날 밤, 난 꿈에서 그녀를 다시 만났다. 난 원고 박혜령의 변호사가 되었다.

낭만재판_첫 번째 공판

땅땅땅. 재판을 시작하겠습니다. 2021갑 1217호 사건 원고 측 소장 제출하셨죠? 진술하시겠습니까?

"피고는 원고를 대역죄인으로 몰아 원고의 낭만을 훼손하였습니다. 어딜 가든 일 잘한다는 소리를 들으며 자신감 있게 일하던 그녀였고 언제나 팀에 도움이 되는 일원이 되고자 노력하였음에도 불구하고 고마워하기는커녕 이에 비판만 하며 그녀의 자신감 있는 일 처리에 심각한 손상을 가했습니다. 직장 내에서뿐만 아니라 삶에서 무언가를 하고자 하는 의욕이 사라지게 하였고 낭만적으로 엄청난 손해를 입었습니다. 또한 본 사건으로 인해 어렸을 때부터 지금까지 지켜온 원고의 낭만 지수가 떨어질까 걱정하고 있으며 한창 열정적으로 무언가에 도전할 용기가 필요한 시기인데 사기가 꺾여 엄청난 낭만적 피해를 보았으므로 낭만적 손해배상으로 금 10억 원을 청구합니다."

"나는 자꾸 이렇게 몰아가면 혜령 씨 다 고소할 거예요! 이게 어떻게 죄에요!!

나는 피고가 변명을 못하게 잠시 말을 끊었다.

"당신, 원고한테 일 시켜놓고 옆에서 게임하고 인터넷 쇼핑하면서 사람 약 올렸잖아! 일 주면서 쉬워서 금방 할 거라고 말하더니 알고 보니 아무도 안 해본 어려운 일이라 대신 야근하게 만들고, 한 번도 말한 적 없으면서 저번에 이렇게 하라고 말했다고 다른 사람 다 있는 단톡방에서 허위 사실을 유포해서 공개처형 하고! 이거 다 말하면 나도 한도 끝도 없으니까 우리 깔끔하게 10억에 끝내죠?"

꿈에서 깨자마자 웃음이 터져 나왔다. '내가 얼마나 그녀에게 죄를 묻고 싶었으면 이런 꿈을 꿨을까?' 현실에서는 그녀 앞에서 절대 입도 뻥끗 못 할 이야기였다. 그런데 우연의 일치였을까? 꿈을 꾸고 며칠 뒤부터 그녀는 회사에 나오지 못했다. 커서 뭐가 될지 고민하고, 그러기 위해서는 어떤 노력을 하면 될지를 고민하던 10대였다. 미래의 나를 끊임없이 상상하고 자아를 찾아가는 과정의 반복이었다. 하지만 그렇게 취업이라는 관문까지 통과하면 아름답기보다는 정제되지 않은 거친 세상이 우리를 기다린다. 한가지 바람이 있다면 그녀가 유재석 데뷔 30주년 특집으로 진행한 유퀴즈를 봤으면 좋겠다. "나는 김석윤 PD처럼 신인을 보는 따뜻한 시선을 가진 PD가 있어야 한다고 생각했다. …(중략)… 내가 늘 생각하는 건 한 사람의 관심과 애정이 누군가의 인생을 바꿀 수 있다는 것이다. 그때 김 감독이 나를 버라이어티로 이끌어 주지 않았다면 지금 나는 이 자리에 없었을 수도 있다." 혜령에게 그 당시 필요한 건 그저 이런 사람 한 명이었다.

나를 잃어버리는 것만 같은 느낌은 직장으로부터 삶까지 이어졌다. 원래는 주변을 살뜰히 챙기는 성격 덕분에 '혜령맘'이라는 별명도 있었고, 나와 약속을 잡으려면 2주 전부터 미리 부킹해야 한다는 친구들의 농담도 들어야 했던 예전과 많은 게 달라졌다. 최근 들어서 가장 자주 듣는 말을 생각해 보면 "언제 끝나?"이다. 평일에 약속만 잡았다 하면 번번이 늦는 바람에 지각쟁이가 되어있었고, 번개로 "오늘 볼까?"라고 하면 친구들이 화들짝 놀랐다. 그래서 결과적으로 혼술이 늘었다. 누구와 어디서 만날지 약속을 잡고 술을 마시는 것보다 혼자가 편하기 때문이다. '왜 이렇게 혼자 있는 시간을 어려워했지?' 과거의 내가 이해되지 않을 정도로 혼자 있는 시간을 좋아하게 되었다.

그날도 그 누구의 방해도 받지 않을 수 있는 시간이 나에겐 너무 중요했다. 그 시간만이 나의 유일한 낭만이었기 때문이다. 불금에 왁자

지껄한 핫플이 아닌 고요한 나의 자취방에 지코바를 포장해 왔다. 매운맛으로 한 주간의 스트레스를 한바탕 정화하고 다 먹은 박스를 버리러 분리수거장에 갔다. 들어가면서 나오는 사람과 어깨를 살짝 부딪쳤다. 사과할 줄 알았는데 그의 표정과 말투에는 이미 날이 잔뜩 서 있었고 이마에 '나 예민해'라고 쓰여있었다. 같은 아파트에 살지만 앞으로도 볼 일이 없었으면 하는 사람이었다. 집에 들어와 와인 한잔을 손에 쥐고 흔들의자에 앉았다. 조용히 눈을 감고 음악을 듣는데 위에서 소리가 들렸다. 쿵쿵쿵. 며칠째 윗집의 소음은 계속되고 있었고 나의 낭만 지수에 타격이 생기기 시작했다. '이놈의 낭만스틸러.. 어떻게 혼내주지.. 후.. 그래 꿈을 꿔보자 드루와 드루와.'

낭만재판_두 번째 공판

윗집 사람으로 법정에 얼굴을 드러낸 사람은 알고 보니 며칠 전 분리수거장에서 만난 그 사람이었다.

"저기요 당신, 저 제 집에서 지금 며칠째 음악도 제대로 못 듣고 고요함 침해당하고 있는데 그거 아세요? 제 낭만권 어떡하실 거예요? 일 끝나고 집에서 쉬는 시간, 그거 어떡하실 건데요?"

"아~ 그렇게 낭만적이셔서 저희 아파트 앞에서 그때 그렇게 오랫동안 키스를 하셨나? 그거 본 제 눈은 어떡하실 거죠?"

'헉.. 뭐지 저 사람?'

"재판장님, 피고는 지금 전혀 상관없는 내용으로 원고를 혼란스럽게 하고 있습니다."

"키스는 무슨 키스요..! 잘못 보셨습니다. 그리고 그게 지금 제가 말씀드리고 있는 층간소음과 무슨 연관인가요? 쿵쿵쿵 소리가 나서 도저히 제 시간을 온전히 즐길 수가 없다 이 말입니다!"

"그러면 화장실에서 아침마다 노래 부르시는 건요? 나는 낭~만~고~야앙~이~~~~ 아주 제가 가사를 다 외울 지경이에요."

알람이 울렸다. 꿈도 내가 지금 조금 불리하다는 걸 알았나? 그래도 위에 안 올라가 보길 잘했다. 그 더러운 성질머리 분리수거남인 줄 알았으면 절대 안 올라갔을 것이다. 그리고 꿈을 꾼 지 며칠 뒤 윗집이 이사를 하게 되었다. 웃픈 사연이란 사실 쿵쿵쿵은 그 남자의 사이즈로 인해 어쩔 수 없는 소음이었는데 그 남자의 윗집에 최근 그보다 더 거대한 사이즈의 남성이 이사를 왔던 것이다. 그가 느낄 소음에 비하면 난 콩콩콩 정도였을 것이다. 여하튼 그렇게 난 혼자만의 시간, 그 낭만을 되찾게 되었다.

일하면서는 친구도 많이 잃었다. 예전에는 카톡 답장도 하나하나 신경 쓰면서 인간관계에 공을 들였는데 이제는 PC 카톡으로 보다가 무심코 읽씹을 하게 되는 경우도 많다. 여기에다 연애는 정말 꿈도 못 꿀 사치다. 취준하다 헤어졌을 때는 '오히려 좋아'라는 마음으로 더 열심히 했는데 막상 직장인이 되니 애인을 만들 시간도 에너지도 없다. 연애할 시간이 없다는 선배들의 말이 다 핑계인 줄만 알았는데 지금은 너무 공감되는 바이다. 회사-집-회사-집 이 루트에 남자는커녕 평일에 약속만 잡았다 하면 늦어 이제 약속을 잡기도 미안할 지경이다.

그런 혜령에게 친구가 하나 있다. 미연이는 날 만나면 항상 자기 이야기만 하고 내 이야기에는 공감을 해주지 않는다. 내가 아끼는 핸드크림은 누구보다 막 쓰고 내 옷이나 가방에는 자꾸 자기 립스틱을 묻힌다. 옆에 있으면 은근하게 나의 신경을 계속 거슬리게 하는 편이다. 친구라도 있는 게 이 모양인데 그나마도 주변에 얘밖에 남질 않아 이 인간관계를 유지하고 있다.

미연이와 나는 대학교 축구 동아리에서 친해졌다. 마침 어제 축구가 너무 재밌어서 유튜브 피드에는 어제 경기 하이라이트 영상들로 가득하다. 프리킥 위치도 딱 박스 측면 위. 손흥민의 발끝에서 시작된 공은 말도 안 되는 궤적을 그리다 골대 망을 강하게 흔들었다. 절대 쉬운 위치가 아니었지만 손흥민 레전드 모음집에서 자주 보던 씬이라 왠지 무조건 성공할 것 같았다. 경기를 보다 보니 갑자기 축구공이 사고 싶어졌다. '며칠 전 미연이한테 생일 선물로 축구공을 사줬는데 그때 내 것도 같이 살껄..' 배송비가 조금 아까워졌다. 새것을 살까 고민하다가 우선 내것은 당근부터 찾아보기로 했다. 마침 내가 딱 원하던 모델이 집 근처에 매물로 올라와 있었고 다음 날 퇴근하고 오후 7시에 판매자와 역에서 만나기로 했다. 다음날 역으로 가는 길에서 저 멀리 미연이가 보였다. 인사를 하려다 설마 하고 머리에 나쁜 생각이 스쳤다. '설마 내가 생일 선물로 사준 축구공을 파는 건 아니겠지..?' 서둘러 당근마켓 앱을 켜 오늘 입고 온 옷의 색상을 물어봤다. 그분은 미연이가 맞았다. 난 가던 길을 멈추고 집.가는 쪽으로 방향을 틀었다. 그리고 미연이에게는 노쇼를 했다는 이유로 비매너 평가를 받았다.

낭만재판_세 번째 공판

"미연아.."

'후.. 도저히 못 꾸겠다. 그래, 너 꿈에서 나와.' 나중에 미연이를 따로 만났다. 오늘 아침 '끝을 5분 전'으로 업데이트된 최신 소식을 확인했지만, 모른 척 공의 근황을 한번 물어봤다. 사줘서 정말 고맙다며 잘 쓰고 있다고 한다. 미연이와 나의 거리는 이 정도이다. 이렇게 나의 낭만을 앗아가려는 사람들 덕분에 인생을 살아가는 맷집이 조금씩 늘고 있는 것 같다.

세 번의 꿈 이후로 이 요상한 꿈들은 더 이상 나를 찾아오지 않았다.

띠리띠리띡. 띠리디리딕. 08:00 AM. 이제는 꿈에서 깨지 않을 수 없었다. 서둘러 출근을 준비한다.

♫ 체리필터 - 낭만 고양이 / 나는 낭~만~고~야앙~이~~~~ 슬픈 도시를 비춰 춤추는 작은 벼얼빛~ 나는 낭~만~고~야앙~이~~~~ 홀

로 떠나가 버린 깊고 슬픈 나의 바다여 sweet little kitty☆★

　방금 꾸었던 꿈 때문일까? 오늘은 유달리 샤워할 때 노래 선곡이 하이하다. '내가 베스트셀러 작가가 돼서 사인회를 한다니..' 이십 대의 터널을 지나 맞이한 30살 혜령은 무탈한 일상에 감사하고 좋아하는 게 반드시 업이 될 필요가 없다는 것 정도는 아는 평범한 어른이 되어 있었다. 그러나 낭만은 사회가 찾아주는 게 아니었고, 수능을 보면 대학을 가고 면접을 보면 회사를 가는 것처럼 자연스러운 게 아니라 내가 찾아야 하는 것이었다. 그때부터였다 낭만을 찾기로 결심했던 건. 회사에선 어느덧 사랑의 박대리가 되었고 본가에서 독립한 지는 어언 3년이 넘은 무주택 세대주이지만, 그래도 아직은 모든 게 쉽지 않은 도전의 연속이다. 아마 내 인생엔 또 나의 낭만을 앗아가려는 많은 낭만스틸러들이 등장할 것이다. 하지만 나는 안다. 그것을 지키려는 자와 빼앗으려는 자의 싸움이 시작될 것이고 그때 낭만이 반드시 이긴다는 것을. 예전과 달라진 게 있다면 해야 하는 것을 하며 하고 싶은 것도 한다는 것이다. 잃어봐야 소중한 걸 아는 것처럼 나는 나대로, 그 누가 뭐래도 나대로 살 것이다. 내 머릿속에만 자리하던 생각이 현실의 굴레에서 벗어나 자유롭게 상상의 날개를 펼쳐지는 곳. 꿈이 있었기에 나는 '나'를 지킬 수 있었고 그때부터 나는 그걸 낭만이라 부르기로 했다.

　내 낭만을 앗아가고 싶다면 잘 자요, 내 꿈 꿔^^

"Smart Phone with Dopamine
– Media, Sexes, Foods,
"스마트폰과 도파민
– 미디어, 성, 음식"

문기훈

문기훈

이제는 책에 빠지고 싶은 사람. 게임, 담배, 자극적인 음식 등 무수한 도파민의 쾌락에 빠져 살아온 삶을 후회하고 있다. 2년 전 금연에 성공하고 지금은 게임도 끊고 책에 몰입하는 사람. 작가는 자신이 아직도 줄이고 끊어야 할 것이 많다고 주장한다. 그리고 모든 독자한테 이 글을 전한다. '여러분들도 꼭 끊고 줄일 수 있기를'

인스타그램: @kihunism_

'도파민', *Dopamine* : *중추신경계에 존재하는 신경전달물질 중 하나, 아드레날린과 노르아드레날린의 전구체.*

　　도파민이 분비되면 성취감과 보상감, 쾌락의 감정을 느끼며, 인체를 흥분시켜 살아갈 의욕과 흥미를 느끼게 하며, 인체의 대표적인 보상회로를 구성.

[0] 상현이의 질문

　　어느 날씨 좋은 한가로운 주말, 낮에 내 친구 상현이와 스타벅스에서 커피 한 잔을 마시며 이런저런 이야기를 하는 도중 이런 이야기 주제가 나왔다.

　　"학교에서나 직장에서나 보면, 꼴찌인 사람들은 계속 그 자리에 머물고, 상위권인 사람들은 웬만하면 그 자리에 머무는데, 가만 보면 뒤집는 경우를 별로 본 적이 없지 않나?"

상현이의 의문으로부터 시작된 이야기는 나의 토론 욕구를 자극 했고, "그걸 다시 쉽게 말하면, 전교 꼴찌가 전교 1등이 되는 경우가 거의 없고, 정말로 힘든 일이라는 거지?" 되물으니 상현이가 "맞아 맞아, 바로 그거야"라고 했다.

상현이의 질문은, 직관적으로 좁게 해석한다면 '공부 못 하는 애들이 공부 잘하는 집단으로 들어가는 것이 정말 힘들다는 것'이다. 더 넓고 긴 시간적으로 풀이를 한다면, 공부를 잘 하는 집단들은 각자 더 좋은 대학교를 갈 것이고, 좋은 대학에서 보다 명성이 있는 교수님 들에게 양질의 수업을 받고, 공부를 잘 했던 집단의 사람들끼리 만나 사교를 하게 된다. 공부를 못 했던 집단들 보다 사회에서 좋은 기회를 얻게 된다. 반대로 공부를 못 했던 집단들은 더 좋지 않은 대학을 가게 되며, 비교적 명성이 낮은 교수님들과 공부를 못 했던 집단의 사람들끼리 만나 사교를 한다. 사회에서 더 적은 기회를 가지게 된다.

더 나아가, 공부를 잘했던 집단끼리 사교 및 연애, 결혼하여 자식을 낳고, 마찬가지로 공부를 못 했던 집단들도 서로 결혼을 하여 자식을 낳게 된다면 자식의 교육에 있어서도 차이가 생길 것이다. 공부를 잘 했던 사람들은 자신들의 공부 잘하는 방법들을 자식에게 알려 줄 수 있다. 하지만 공부를 못 했던 사람들은 공부를 못 했기에 자신의 공부 방법을 알려주기가 어렵다. 또한 공부를 잘 했던 사람들은 더욱 좋은 기회를 얻었기에 상대적으로 부유할 수 있으므로 좋은 사교육을 자식에게 물려줄 수도 있다. 이렇게 공부를 잘 했던 집단과 못 했던 집단들의 주기가 반복된다면 크게는 "빈익빈, 부익부"로 이어질 수 있다.

물론, 반드시 위 내용처럼 모두의 삶이 그렇다는 것은 아니다. 차이점을 깨닫고 집단 간의 이동을 한 사람들이 많다. 예를 들면, 만년 꼴찌, 만년 꾸지람만 받던 학생이 이제는 억 소리 나는 연 매출의 CEO가 된 무용담을 실제로 이룬 사람1, 공부를 못 했던 사람이 대학교를 가서 그 "차이점"을 깨닫고 공부 잘 하는 집단들이 많이 가는 대기업을 당당히 입사, 또는 학창 시절에 그 차이점을 깨닫고 전교 꼴찌에서 전교 1등이 된 사람들, 또한 반대로 공부 잘했던 집단의 사람이 어떤 이유로 공부 못 하는 집단으로 내려온 경우 등 집단 간의 이동의 사례는 분명히 존재한다. 하지만 이동하지 못하는 사람들에 비하면 소수에 불과하다. 많은 사람은 그 차이점을 모르거나 또는 그 차이점이 존재한다는 것도 모르고 살아가는 사람들이 대부분이다. '나는 이렇게 태어났어.', '머리가 나쁜 걸 어떡해?' 이런 생각으로 삶을 유지하는 사람들이 너무 많다. 상현이의 질문에 대답하면서 알아보고 분석해 보자.

그렇다면 두 집단의 가장 큰 차이점은 무엇일까? 그 차이는 머리가 좋고 나쁨, 가정환경, 개인 간의 노력, 양질의 사교육 등 많은 이유가 될 수 있다. 과연 어떤 차이가 그들을 나누는데 가장 큰 이유일까? 집단 간의 이동이 왜 어려운지 한 번 알아보도록 하자.

[1] "Media"로 알아보는 그 "차이점"

[1-1] 스마트폰의 대중화

현대사회는 불과 몇십 년 만에 급속도로 발전하였고, 지금도 계속해서 최첨단 산업들이 발전되며, 초고도화 시대에 이르렀지만 무수한 연구와 발전은 계속되고 있다. 그 중 "스마트 폰"은 현대 문명의 상징이라고 생각하며, "Media"와 아주 밀접한 관련이 있다.

우선, 우리가 스마트폰을 어떻게 사용하고, 우리의 삶 중 어떤 것을 변화시켰는지 알아보자.

필자의 기준으로 학창 시절은 2000년대 초반부터 2010년대 초반이다. 이 시기는 정보화 기술이 급속도로 발전하였고, 스마트 폰이 처음 나오는 시기였다. 현재처럼 스마트 폰이 널리 보급되기 이전, 그 당시 널리 보급된 정보화 기기는 바로 컴퓨터이다. 컴퓨터의 등장으로 인류의 많은 것이 변화되었고, 컴퓨터가 각 가정에 널리 보급이 된 이후에는 각 가정에서는 부모님은 자기 삶과 자식의 삶이 완전히 다른 경험을 하게 된다. 부모님 세대들은 컴퓨터가 많이 없었기에 학창 시절에 친구들과의 놀이 장소는 학교 운동장, 놀이터, 친구 집 등 실제의 장소, 즉 시공간의 제약이 존재했다. 하지만 컴퓨터가 널리 보급이 된 자식 세대들은 학교 운동장과 같은 오프라인 장소에서도 놀기도 하지만 가상의 컴퓨터 안, 시공간의 제약을 비교적 덜 받는 곳에서 만나는 경우가 점점 증가하기 시작했다.

이렇게 온라인에서의 만남은 점점 증가하였고, 심지어 혼자 온라인으로 들어가기도 하고, 다른 사람 들과 만날 수도 있었다. 시간, 날씨를 제약받지 않고 언제든 가능하기에 집에 있는 시간에서 대부분의 시간을 컴퓨터에 쏟는다. 의자에 앉기만 해서 버튼만 누른다면 컴퓨터가 켜지고, 클릭 몇 번만 하면 온라인으로 접속이 된다. 차비도 들지 않고 걸어서 가지 않아도 되니 힘들지도 않다. 또한 발달한 인터넷은 내가 좋아하는 가수들의 노래와 영상을 듣고 볼 수 있으며 내가 궁금한 것은 검색만 한다면 알 수 있다. 즉, 책을 보지 않아도 내가 원하는 정보나 지식을 얻을 수 있다.

학교에서는 온라인에서 만난 친구들과 학교에서 만나 그때의 재밌었던 이야기를 나누면서 웃는다. 그리고 컴퓨터를 어떻게 사용하면 더 재미있는 것이 나오고, 더 좋은 방법으로 사용하는 것도 서로 공유한다. 마치 자랑하듯이 말이다. 그러다가 이 이야기를 엿들은 친구들이 하나, 둘씩 모여들어 집단을 형성한다. 그렇게 학교 마칠 때, 집에 가서 몇 시 몇 분, 어디 어디에서 만나라고 한다. 학교 운동장이 아닌 온라인 속의 장소이다.

이렇게 1년이 지났다. 또 더 재밌는 온라인 게임이 나오고, 컴퓨터를 비롯한 정보화 기술을 계속해서 하루가 멀다고 급속도로 발전하고 있다. 더 재밌는 것을 발견하곤 이걸 하자고 제안한다. 집단의 대부분

친구들이 알겠다고 하고, 그것을 해보니 너무너무 재미있다. 그런데 인원이 몇 명 더 있으면 좋겠다고 생각해 다음 날 학교에서 같이 할 친구들을 모집한다.

이렇게 열심히 온라인에서 친구들과 놀았는데, 온라인에서는 혼자서 놀기도 쉽다. 친구들과 나도 학원에 다녀서 시간대가 맞지 않을 때는 혼자서 접속해서 모르는 사람들과 만나서 인사하고 게임을 즐긴다. 그러고는 혼자 해도 재밌다고 생각하고 친구들이 없을 때도 온라인에 들어와 시간 가는 줄 모르고 쾌락을 느낀다. 이때부터 컴퓨터 온라인 게임에 점점 중독되어 간다.

비단 컴퓨터 속 온라인 공간만이 아니다. TV도 발전했다. 재미있는 TV 프로그램들이 쏟아져 나온다. 채널도 수십, 수백 개이며 재방송도 많이 한다. 같은 시간대에 다른 채널에서 하는 프로그램들은 서로 자신의 채널을 보게 하기 위해 더욱더 재미있고, 자극적인 콘텐츠들을 만들어서 시청자들을 매료시킨다.

현재에도 단지 미디어 매체만 바뀌었을 뿐 양상은 비슷하거나 오히려 더 심화하였다. '스마트폰'이 2000년도 후반~ 2010년도 초반에 출시가 되었고, 컴퓨터가 "각 가정"에 보급되는 것보다 훨씬 빠른 속도로 이제는 "각 개인"에게 보급되었다. 원래는 컴퓨터 책상에 앉고 컴퓨터를 켠 후, 마우스랑 키보드로 가상의 공간, 온라인으로 들어가게 되는데 스마트폰의 등장 이후로는 더욱 더 줄어들었다. 누워서 손가락만 까딱하면 온라인으로 들어갈 수 있다. 집이나 피시방처럼 한

정된 공간에서 즐길 수 있는 컴퓨터보다 언제, 어디서든, 내가 손만 움직일 수 있다면 스마트폰은 사용이 가능하다. 더욱 더 시공간의 제약을 받지 않게 되었다.

스마트폰 이전, 컴퓨터가 대중화된 시기에는 공부 못 하는 집단과 잘하는 집단의 차이가 컴퓨터이고 지금은 스마트폰이라는 것인가? 관련도가 매우 높지만, 정확한 "차이점"은 아니다. 공부 잘하는 친구들과 못 하는 친구들 대부분이 집에 컴퓨터가 있고, 스마트폰이 다 있는 것처럼 확실한 이유는 아니라 생각한다. 스마트폰의 사용 여부는 확실히 아니다. 스마트폰 사용하면서 공부 잘하는 친구들이 많다. 내 주위에만 봐도 스마트폰 맨날 보는데 직장생활을 잘하는 동료들이 많다. 또한 현대사회에서 스마트폰이 없는 사람은 없다고 해도 과언이 아니다.

[1-2] 스마트폰으로 인해 변화된 우리의 삶

스마트 폰 등장 이전, 잠자리에 들었을 때가 생각이 나는가? 지금은 많은 사람들이 잠자리에 들어 잠자기 전까지 아마 스마트폰을 볼 것이다. 하지만 2000년대 초반에는 어떠하였는가? 혹시 생각이 안 나지는 않은가? 필자는 컴퓨터 게임을 하다가 잠이 오면 침대에 가서 기절했던 것만 떠오른다. 또는 공부하다가 잠이 드는 경우도 있지 않았던가, 또는 잠자리에 누워서 머리맡에 스탠드를 켜서 책을 보다가 잠이 들지는 않았던가? 아니면 그냥 누워서 이런저런 생각을 하다가 자신도 모르게 잠이 들지는 않았는가? 2000년대 초반, 스마트폰이 보급되기 전에는 아마 잠자기 전에 했던 행동들이 다양했으리라 예상된다.

또한, 대중교통을 탈 때 스마트폰 이전의 삶은 책을 보거나, 신문을 보거나, 또는 아무것도 하지 않거나, 창밖 풍경을 보거나 등등 마찬가지로 다양했다. 하지만 도시에서 아무 지하철이나 버스를 타게 되면 볼 수 있는 장면은 대부분 사람들이 스마트폰을 보고 있다. 이유는 간단하다. 우리의 뇌는 스마트폰이 즐거움의 보상을 제공한다는 것을 너무나도 잘 알고 있다. 다른 말로는 스마트폰이 재미있고 자극적인 것이 많다는 것을 잘 안다. 그래서 스마트폰을 보라고 계속해서 명령하게 되고 그 유혹에 못 이겨 스마트폰을 보게 되는데 대중교통은 그것을 이행하기에 최적의 장소이다.

위에서 설명한 것을 도파민으로 다시 설명한다면, 스마트폰을 보게 되면 즉각적이고 보다 빠른 보상을 제공받게 된다. 이때 뇌에서는 우리에게 기쁨과 만족감을 주는 화학물질인 도파민을 분비하게 되는데, 이때 우리는 기쁘고 만족감을 느낀다. 그리고 스마트폰을 보고 도파민이 분비되었기에, 뇌는 보상 시스템을 조작하는데 도파민 분비가 되는 가장 빠른 방법인 스마트폰을 계속 보게끔 충동을 일으킨다.

이와 같은 원리로 우리는 끊임없이 스마트폰을 보고 싶은 충동과 욕구에 못 이겨서 스마트폰을 계속 보게 된다. 길을 걸을 때나, 잠자기 전이나, 대중교통에서나, 언제 어디서나!

이렇게 정보화기기의 발달은 짧은 시간 대비 인류의 엄청난 삶의 형태를 변화시켰다. 원래는 내가 원하는 지식과 정보를 얻으려면 관련된 책을 찾아 펼쳐서 읽어야 한다. 컴퓨터 사용은 컴퓨터를 켜서, 내가 원하는 정보를 검색한다. 스마트폰 사용은 거의 항상 켜져 있는 스마트폰에서 검색만 하면 된다. 그 과정이 현저히 줄어든 것을 볼 수 있다. 책을 읽을 필요가 없어졌다.

밖에 나가는 것보다 안에서 스마트폰으로 친구들과 놀다 보니 나가는 것 또한 이제 귀찮고 싫어진다. 침대에 누워서 스마트폰 하나면 내가 원하는 것을 대부분 할 수 있다. 그런데 스마트폰 속은 서로 자신이 개발하고 만든 것을 사용자들이 사용하도록 만들어진 자극적인 것들이 너무 많다. 그렇게 사용하는 사람들은 도파민이 과도하게 분비가 되는 것도 모른 체 점점 더 자극적인 것들을 찾게 된다.

심할 경우에는 밖에 나가는 것을 두려워하게 되고, 타인과의 대화를 말이 아닌 글로 하게 되어 사교성, 사회성이 부족해진다. 그 결과는 점점 더 밖이 아닌 안에서의 스마트폰에 의존하게 만들게 되며 그렇게 도파민 체계가 붕괴하는 지경에 이르기까지 한다. 스마트폰의 등장은 정말 인류를 편리하게 바꿨지만, 편리를 넘어서 게으르고, 불성실하게 인류를 바꿔 놓았다.

[1-3] 벗어나기 힘든 스마트폰

또 스마트폰의 SNS 기능은 접속해서 검색만 한다면 대한민국의 대부분의 사람들을 볼 수 있고, 바다 건너, 대륙 건너 지구 반대편에 있는 사람들과 소통 또한 가능하다. 그리고 사용자가 게시글을 작성한다면 얼마 지나지 않아 스마트폰에서 알람이 울린다. 누군가 내 게시글을 '좋아요'를 누르고 댓글을 달았다. 목록을 살펴보니 친구들도 있지만 모르는 사람들도 있어 신기한 경험을 하게 된다. 그렇게 또 글을 올리니 전보다 '좋아요'가 더 많이 눌렸다. 그러다가 다른 사진도 올렸는데 '좋아요'가 별로 안 눌렸다. 어찌 된 일인지 궁금해하여, 조금 더 재미있는 사진을 올리니 '좋아요'가 많이 눌렸다. 그렇게 더 많은 '좋아요'를 위해 더욱 더 SNS에 많은 시간을 투자하게 된다.

대표적인 SNS 중 하나인 인스타그램은 본인의 페이지에 사진과 함께 게시글을 올릴 수 있다. 이때의 사진은 규정 내에 모든 사진이 가능하다. 본인의 얼굴과 몸매를 주로 올리는 사용자들은 예쁘고 잘생긴 얼굴과 멋지고 아름다운 몸매를 자랑하고자 하며 더 나아가 과시하기까지 한다. 하지만 사진은 보정과 편집이 무수히 가능하다. 디지털 기술이 발달하면서 모든 것이 발달 한 것이다. 또한 SNS에서는 버튼 하나만 누르면 상대에게 1대1로 메시지를 보낼 수 있다. 또는 반대로 상대가 나에게 메시지를 보내 내가 받을 수도 있다.

실제로 유튜브 크리에이터들이 이러한 현상을 풍자하기 위해 만든 영상들이 많은데1, 그중 하나가 주인공이 인스타그램에 과도하게 보정, 편집된 본인의 사진을 자주 올려서 마치 본인이 그 사진 속 얼굴과 몸매로 착각하는 것이다. 너무 심하다고 생각 할 수 있다. 어떻게 사진

속의 나와 실제의 나가 혼동한다고 하지만 이러한 이야기가 나온다는 것은 없지만은 않다는 것이다. 마찬가지로, 즉각적인 보상에 의해 도파민 분비는 앞서 언급한 것과 동일한 것을 알 수 있으며 역시 SNS 중독에 이르기까지 할 수 있다.

영상 서비스의 대표 플랫폼인 유튜브를 키면, 무수히 많은 영상들을 볼 수 있다. 지금 이 글을 읽고 있는 중에도 유튜브에는 수십만개의 영상이 업로드가 될 것이다. 유튜브의 수익구조는 쉽게 말해 영상 조회수와 수익이 비례한다. 그렇다는 것은 영상을 업로드하는 사람들은 최대한 많은 사람들이 나의 영상을 보게 해야 한다. 이렇게 사람들이 나의 영상들을 보게 하기 위해 대부분 주제는 "재미있는 것"이며 영상의 길이는 되도록 짧게 한다. 또한 영상의 썸네일(Thumbnail, 영상이 실행되기 전 볼 수 있는 미리보기 이미지로, 클릭하기 전에 볼 수 있는 그림.)은 매우 자극적이다.

유튜브에서 내가 좋아하고 관심 있는 주제를 검색하면 그 와 관련된 영상이 엄청나게 많이 나오게 되며 그 사람은 행복한 고민을 하게 된다. 손가락만 까딱하면 원하는 것을 볼 수 있기에 즉각적인 보상을 얻게 된다. 궁금 했던 것을 지루한 책이나, 설명을 듣지 않고도 짧고 재미있는 영상을 보면서 알아갈 수 있게 되는 것이다.

그리고 최근에 발달하고 체감하는 것 중 하나는 바로 '알고리즘'이다. 실제로 내가 사고 싶은 물건이 있어서 검색을 했는데, SNS나 유튜브 등 다른 스마트폰 어플리케이션에서 광고로 나왔던 경험을 해본 적이 있지 않은가? 그렇게 되면 또 뇌는 즉각적인 보상을 원하게 되므로 더욱 더 큰 충동과 욕망을 느끼게 한다.

유튜브에서도 내가 좋아하고 관심 있는 주제를 검색하면 그 와 관련된 영상이 엄청나게 많이 나오게 되며 그 사람은 행복한 고민을 하게 된다. 손가락만 까딱하면 원하는 것을 볼 수 있기에 즉각적인 보상을 얻게 된다. 궁금 했던 것을 지루한 책이나, 설명을 듣지 않고도 짧고 재미있는 영상을 보면서 알아갈 수 있게 되는 것이다.

보통은 인기 많은 유튜브의 영상은 짧게 20분, 15분, 10분으로 영상을 대부분 제작되었지만 요즘은 아주 짧은 영상들이 인기가 많다. 원래는 TV 프로그램, 영화, 다큐멘터리 등 영상의 길이가 1시간 부근이나 넘어가는 것들로 즐거워했지만 최근에는 즐거움을 느끼는 길이가 점점 짧아져 가고 있다. 단 10분짜리의 영상도 띄엄띄엄 보는 경우도 많고, 보다가 금방 끄고 다른 영상을 찾기도 한다. 물론 현대 사회가 굉장히 바쁘기 때문에 그런 이유도 있지만 사실 핑계에 불과하다. 어떤 사람은 유튜브의 10분 짜리의 영상은 다 못 보는데, '유튜브 숏츠(약 1분 미만의 짧은 영상)'는 10분, 20분이 넘도록 계속 보고 있다. 영상의 길이가 점점 줄어들다가 이제는 시간이 이제는 약 1분 미만으로 되었다.

지금까지의 내용을 요약하면, 충동적인 행동은 컴퓨터와 스마트폰이 있다. 스마트폰의 SNS는 즉각적인 보상을 일으킨다. 유튜브를 비롯한 영상 플랫폼은 내가 원하는 정보나 지식을 손쉽게 검색하여 핵심만 얻을 수 있지만 영상의 길이는 점점 짧아지고 있다.

[1-4] 상현이의 물음에 대한 대답

이제 상현이의 질문에 'Media'에 관련하여 대답을 해보자. 그 "차이점"은 아직 뭔가 불분명하다. 그렇다면 독자들에게 물어보겠다. 이 글을 읽고 상현이에게 "차이점"을 콕 집어서 누가 들어도 알 수 있게끔 뭐라고 말할 수 있겠는가?

바로 "집중력"이다. 공부를 잘 하는 집단은 어떻게 하면 공부를 집중력 있게 하는지를 분명히 알고 있으며, 모른다고 하더라도 주위 환경에서 그 들을 집중력 있게 공부하게 끔 환경을 만들어 줄 것이다. 하지만 공부를 못 했던 집단들은 제 아무리 노력을 하더라도 집중력이 부족한 공부를 하게 된다. 이 차이점을 깨달은 사람들은 집단 간의 이동이 가능하다. 하지만 차이점을 깨닫지 못한 사람들은 정말 긴 시간이 걸리거나 평생을 넘어가지 못할 수도 있다.

모르는 정보나 지식을 책에서 습득하게 된다면, 책을 처음부터 끝까지 읽다 보면 자연적으로 집중력이 생긴다. 하지만 스마트폰을 통해 얻으면 1분이면 된다. 영상 매체를 1시간 동안 꾸준히 진득하게 본다면 높은 집중력이 필요하지만, 1분짜리 영상을 60개를 보게 된다면, 더욱 낮은 집중력으로도 충분할 것이다.

[2] "Sexes"로 알아보는 그 "차이점"

[2-1] 인간의 기본적인 욕구 정의

인간의 3대 욕구 중, 성욕은 단순히 1차원 적으로는 성관계를 의미하기도 하나, 넓게 본다면 이성친구와의 만남 정도로 볼 수 있으며 이 책에서는 이성과의 만남이라고 정의하겠다.

[2-2] 스마트폰으로 변화된 인간관계

스마트폰 등장 이전에는 다른 이성들을 매체로 접하기가 어려웠다. 집에서는 시각적으로 볼 수 있는 것은 TV로 연예인을 본다거나, SNS가 활성화 되지 않았던 시대에는 포털사이트 카페에서 연예인 팬카페에 가입하는 것이다. 싸이월드와 같은 채팅 플랫폼들도 모르는 다른 사람과의 채팅은 지금보다 발전이 안 되었으며, 실제로 오프라인에서의 만남까지 이어지는 것은 상당히 힘든 부분이었다. 그리고 동네 지역의 카페에서 실제 만남 모임을 하는 경우도 있었지만 많은 사람이 하지는 않았다.

현재는 스마트폰으로 모임 어플리케이션을 다운 받아 가입하여 나가기만 한다면 손쉽게 만날 수 있다. 예를 들어 나의 취미생활이 영화 보기이면 영화를 자주 보는 모임에 들어가서 약속된 시간에 나가면 내 주변에 있는 모르는 다른 사람 들과의 만남이 정말 쉬운 시대가 되었다. 이렇게 이성과 만남의 기회를 가지는 것이 쉬워졌다. 내가 현재 외로워서 다른 이성친구와 놀고 싶다면 스마트폰에 시간만 조금 투자하면 이성을 만날 수 있는 기회가 생길 수 있다. 심지어는 돈을 받고 만남을 주선해 주는 어플리케이션과 웹 사이트들도 많다. 이것이 잘못된 것은 아니다. 본인의 시간과 돈을 투자하는 것에 있어서 불법적이지만 않는다면 함부로 가타부타 할 수는 없다.

모든 사람에게 드는 1차원 적인 욕구를 결코 무시할 수는 없다. 우리는 이 욕구가 지나치게 커져도 안 되며, 지나치게 해결을 하려고 해서도 안 된다. 성욕은 아주 민감하게 스스로 다루어야 하는 부분이라 생각한다. 1차원 적인 욕망을 너무나 빠르고 단순하게 해결을 해버린다면 뇌는 역시나 즉각적이고 보다 빠른 보상임을 인지하고 많은 도파민을 분비한다. 이렇듯 마치 즉석만남 같은 온라인상에서의 오프라인으로의 만남은 스마트폰 사용처럼 더더욱 충동을 일으킨다.

[2-3] 스마트폰으로 채우는 욕구

이러한 만남을 계속 즐기다 보면 본인의 사회성과 또 다른 나와 충돌할 수 있다. 실제 사례를 통해 알아보도록 하자. 내 친구 현규의 이야기이다. 현규는 준수한 외모를 비롯하여 평범하게 살아가고 있는 대학생이었다. 하지만 평범한 그에게도 부족한 것이 하나가 있는데, 여성과의 대화를 하려고 하면 그대로 굳어버리는 것이었다. 남자인 친구들끼리 있으면 잘 어울려 놀고 재밌는 친구이지만 이상하리만큼 여성과 함께 있으면 말 한 번 제대로 꺼내지 못하고 얼어붙는 친구였다. 하지만 대학 생활하는데 있어서는 그렇게 큰 문제도 없었다.

하지만 그가 어느 날부터 친구들 모임에 잘 나오지 않았다. 처음에는 바쁘거나 공부를 열심히 하나 싶은가 생각했지만, 수업도 몇 번씩 결석하고 과제도 몇 번 빠뜨렸다. 무슨 일이 있는가 했지만, 그는 별일 없다는 말과 요즘 바쁘다는 말만 했을 뿐이었다. '개인 사정이 있겠지' 하고 생각했지만, SNS에 모르는 사람들과 자주 술 마시고 밥 먹고 놀러 가는 사진이 몇 번씩 올라왔다. 그래서 물었다. 수업 안 나오고 요즘 누구랑 그렇게 놀러 다니냐고 물었더니 우리에게 "너희 카카오 오픈 채팅 모름?"이라고 답하며 스마트폰으로 하루 종일 카카오톡 채팅만 했었다. 현규는 대학교 때부터 같이 수업 듣고 밥 먹으면서 같이 지낸 우리와 노는 것보다 다른 사람들과 놀러 다니는 것이 더 즐거워 보였다. 마치 무언가 배신감을 느꼈지만 깊이 생각하지는 않았다.

현규는 실제로 말도 잘하며 매우 똑똑한 친구였다. 다만 여성 앞에서는 얼어버리는 것만 있었는데 카카오톡 오픈채팅방에서는 첫 오프라인 만남에 앞서 온라인으로 대화를 할 수 있다. 현규에게는 그 부분이 정말로 매력적이었다. 현규는 카카오톡 오픈 채팅에서 주변 모임에 들어가서 인사와 자기소개를 한 뒤, 온라인 채팅으로 대화한다. 비대면으로 대화하기에 그 누구보다 말을 잘 하고 똑똑한 현규는 채팅방에서 아주 재미있는 존재였다. 형, 누나, 동생, 친구들이 현규와 만나서 놀고 싶어 하며 현규는 그 부분에 있어서 아주 인정을 받으며 모임의 재미를 즐기고 있었다.

모임에서의 오프라인 만남(단체 만남)이라고 해서 처음부터 막역한 친구 사이같이 예의 없게 대할 수는 없는 법이다. 온라인 채팅으로 어느 정도 대화를 나눈 사람들끼리 서로에 대해 약간만 알고 있는 상태에서 서로에게 예의를 갖추어 대한다. 다른 사람들은 온라인 채팅방에서 아주 재미있는 존재로 인식된 현규를 만난 모임원들은 모두 기대한다. 정말 재미있는 존재가 실제로 내 눈앞에 있으니 말이다. 하지만 그 모임은 남녀가 모두 섞여 있으며 당연히 오프라인 만남에서도 남녀가 섞여서 만나게 된다.

이때 현규의 자신과 또 다른 현규가 충돌한다. 내가 아는 내 친구 현규는 여성 앞에서 얼어붙는다. 하지만 또 다른 현규는 채팅방에서 남녀 불문하고 말도 잘하며 아주 재미있는 친구이다. 충돌한 현규들 사이에서 어떻게 해야 할지 모르겠다. 입은 떨어지지 않는데, 마치 여기가 카카오톡 채팅방 인 것 같다. 재미있는 말들과 이야기는 머릿속에서 자꾸 떠올라서 재미있게 말하고 싶다. 기대를 저버리고 재미있게 분위기를 연출하지 못한 현규는 애써 식은땀을 가리고 "제가 낯을 좀 가려서 첫 만남이라 말하기가 어렵네요."라고 말을 하며 오프라인 만남 자리를 마무리한다.

그리고 다시 돌아와 온라인 채팅방에서 또 재미있게 말한다. 그때 현규는 문득 생각이 든다. '이러한 모임이 많던데 다른 데도 들어가 볼까?' 그리고 실행한다. 다른 방에 들어가서도 온라인 채팅방에서는 아주 재미있는 존재이지만 오프라인 만남에서는 말을 잘 못 하는 사람이 되어버린다. 그렇게 현규는 대학교 4학년이 돼서 지난 1년 이상을 카카오톡 오픈채팅방에 '잠겼다'고 표현한다. (카카오톡 오픈채팅방으로 모임을 하는 사람들을 비난하거나 비하하는 의도는 아니다.) 카카오톡 오픈채팅방에서 자신의 에너지를 발산하고자 하는 사람들이 많지만, 본인은 그러기가 너무나도 어렵다는 것을 깨달은 것이다.

온라인 채팅을 많이 할수록 당연히 스마트폰 사용량도 증가한다. 실제로 오프라인에서 대화하는 것을 그대로 스마트폰 채팅으로 옮겨진다고 생각하면 엄청난 시간을 소비하는 것이다. 다른 사람들과의 만남은 상당히 매력적이다. 나와 다른 환경에서 자랐지만, 나이대가 비슷한 사람들을 계속 만나는 것은 결국 1차원 적인 욕구들을 자극한다. 현규의 경우는 그렇지 않지만, 이러한 삶을 즐기는 사람들도 많다. 이러한 즉석만남이 대상이 이성으로 고정이 되어버린다면 그 행동과 소비는 모두 1차원 적인 욕구, 성욕만 충족시키며 도파민 분비를 과다하게 하며 일종의 중독과도 같은 삶을 살게 될 수 있다.

그리고 또 다른 하나는 온라인상에 만연해 있는 포르노이다. 이렇게 초고도로 발달한 사회에서 포르노 영상은 역시 스마트폰으로 손가락 하나만 까딱하면 찾을 수 있다. 마찬가지로 성욕을 해소하기 위함이다. 하지만 SNS와 카카오톡 오픈채팅방(온라인 만남에서 오프라인으로의 만남)보다 비교할 수 없을 정도로 자극적이며 담배와 술처럼 엄청난 중독을 유발한다. 하루에도 여러 번, 일주일 동안에는 더욱더 많이, 계속해서 갈구하고 본다면 분명히 심각한 문제이다.

스마트폰으로 포르노 영상을 찾아서 본다는 것은 역시 즉각적이고 보다 빠른 보상을 받게 되고, 그로 인해 보다 더 자극적인 것을 원하게 된다. 도파민의 분비가 비교할 수 없을 정도로 과도해지는 것이다.

이 모든 것은 욕망에 의해 비롯되며 욕망은 채워지면 더 강렬하고 자극적인 욕망을 원하게 된다.

또 새롭고 자극적인 것을 행하게 된다. 그 욕망을 가장 빠르게 해결할 수 있는 수단이 바로 스

마트폰이다. 심각할 경우 나중에는 일상생활이 힘들 정도로 걷잡을 수 없을 만큼 나의 생활이 이

상해질 수도 있다.

[2-4] 상현이의 물음에 대한 답

여기서 상현이의 질문에 한번 대답해 보자. 우리는 현규의 실례에서 알 수 있듯이 현규는 지극히 평범하고 성실한 대학생이었다. 그러나 어쩌다가 오픈채팅방에 빠져서 수업도 빠지고 과제도 해 오지 않

는 경우가 많았다. 또한 SNS에 빠져서 정상적인 일상생활을 못 하는 사람들도 주위에서 종종 보기도 한다.

역시, 독자들에게 질문을 던져보겠다. 과연 그 '차이점'은 무엇일까?

바로 "절제력"이다.

1차원 적 욕망은 참을 수 있으며, 또 다른 행동과 생활로 꺾을 수 있다. 예를 들면 어렸을 때 성교육 시간에 배운 것과 같이 성욕은 운동이나 활동적인 행동을 통해 극복할 수 있다. 절대 참을 수 없는 것이 아니다.

상현이가 질문했던 것을 토대로 살펴본다면, 공부를 잘했던 집단과 공부를 못 했던 집단들의 차이는 바로 절제력이다. 공부를 잘하는 친구들은 그만 해야 할 때를 아는 것이다. 하지만 공부를 못 했던 친구들은 그만하지 못하고 계속해서 하는 것이라 할 수 있다.

그렇다면 공부를 못 하는 집단에서 집단 간의 이동을 하기 위해선 절제력을 필요로 하다는 것이다. 또한 반대로의 이동은 절제력을 잃어서 이동할 수 있다. 내 친구 현규처럼.

단순히 1차원 적 욕구에 의해 하고 싶은 행동들을 우리는 의식적으로 하지 말아야 한다. 프로노 영상이 보고 싶다고 단순히 그냥 보고 넘기면 안 된다는 것이다. 이 행동은 다음에 더 자극적이고 새로운 포르노 영상을 보고 싶어하게 되는 것이다. 하지만 많은 사람들은 그것을 알아채지 못한다. 주위 사람들과 대화하니 그냥 사람 사는 것 다 똑같다고 생각할 뿐, 당연하다는 듯이 생각하고 넘어가는 경우가 많다. 반드시 의식적으로 절제력이 필요한 순간을 알아채야 하고, 반드시 절제해야 한다.

[3] "Foods"로 알아보는 그 "차이점"

[3-1] 풍족하지만 좋지 않은 음식

"Foods"는 음식이다. 음식은 사람에게 식욕과 관련이 있지만, 필자가 다루고 싶은 것은 단순히 식욕이 아닌 음식이다. 음식 중에서도 비만을 야기하는 고칼로리의 매우 기름지고 당도 높은 음식들과 바쁜 현대인들을 위한 서구화된 음식들이다.

사람은 누구나 배고프면 음식을 먹고 싶다는 욕구가 든다. 이 음식은 과거에 비해 현재의 먹거리는 굉장히 풍족해짐 동시에 많은 변화가 찾아왔다. 이 풍족하고 변화된 음식은 현대사회에서 행복과 만족감을 충족시키지만, 사람의 몸에는 불행을 유발한다.

'요한 하리' 『도둑맞은 집중력』에서, "당신이 자동차 엔진에 샴푸를 넣는다면 엔진이 고장 났을 때 고개를 갸우뚱하지 않을 겁니다. 그러나 서구 전역에서는 인간의 연료로 쓰던 것과는 매우 동떨어진 물질을 매일 자기 몸에 밀어 넣고 있다."1 이 문장은 우리가 먹고 있는 음식들이 매우 건강에 좋지 않다는 것을 단번에 알아차릴 수 있게 한다.

실제로 번화가에 나아가 보면 비슷하고 동일한 업종의 가게들이 많은 것을 알 수 있고, 다른 음식 업계라고 할 지라도 각 가게의 입장에서는 모두가 경쟁 대상이다. 가게의 경쟁에서 이긴다는 것은 폐업하지 않고 살아남는다는 뜻이며, 그것은 본인의 생계와 직결된다. 그렇기에 절대적으로 이겨야 하는데 이기기 위해선 고객들을 끌어야 한다.

그렇다고 단순히 고객들은 끌어모은다고 되는 것은 아니다. 우선 음식이 맛있어야 하고, 그리고 서비스도 좋아야 하고, 가게 홍보도 잘 돼야 한다. 음식이 맛있어야 한다는 것은 단순히 맛있기만 하면 되는 것이 아닌 또 방문하게끔 해야 한다. 지금의 식품들은 많은 가공과 조미료 첨가와 긴 시간의 요리로 인해 사람의 원시적 쾌락 중추를 자극한다. 그렇게 되면 또다시 먹고 싶은 충동이 든다. 도파민이 분비되고, 심지어 배가 안 고플 때도 먹고 싶은 충동이 들게 하는 경우도 있다.

위와 같이 먹었던 음식을 먹, 또다시 찾게 되는 것을 '음식 중독'이라고 한다. 심지어 의학계에서는 마약 중독자의 뇌와 음식, 단맛 중독자의 뇌가 거의 유사하다고 말 한 적도 있다. 엄연한 중독이다. 알코올, 흡연, 도박 등만이 중독이 아니라 음식 중독도 상당히 위험한 중독이다.

실제로 현재 많은 식당에서 판매하는 음식들은 조미료를 비롯한 첨가제가 듬뿍 들어가며, 상당히 자극적이고 짜거나 맵거나 달다. 싱거워서 맛이 없다는 평가를 받게 되면 그 고객들은 다시는 방문하지 않을 수도 있다. 결과적으로 식당들은 생계를 유지하기 위하여 건강에 좋지 않은 음식을 조리하여 판매한다. 또한 디저트나 음료에서도 아주 잘 나타난다. 커피, 음료 전문점에서 달달한 종류의 음료를 시켜서 먹으면 상당히 단 것을 느낄 수 있다. 하지만 이 정도는 달아야 먹는 맛이 난다고 하면서 자주 마시는 사람들도 많다.

[2-2] 배달 음식과 비만율

질병관리청 조사에 따르면 현재 대한민국의 비만율은 점점 증가하고 있다. 특히나 청소년 비만율이 가파르게 증가하고 있다. 이는 [1]장에서 살펴본 것과 연관 지을 수 도 있다. 스마트폰의 보급으로 움직임이 줄어 들었다. 많은 음식이 서구화되고 자극적으로 변한 음식들의 섭취는 증가하였다. 이에 대한 결과는 정말 쉽다. 운동을 줄어들고, 섭취 칼로리는 상당히 증가하였으므로 비만율은 증가할 수밖에 없다.

'한창우' 『비만도 중독이다』 책에서 비만은 중독이라고 하며 식욕의 3요소 중 배고픔, 음식의 선호, 사회와 환경적 요인 중 음식의 선호 요소는 도파민이 관여한다. 이 때 도파민 체계가 정상인과 다르다면 알코올, 흡연 중독과 같이 엄연한 중독이다. 또한 성욕과 더불어 식욕도 사람의 1차원 적 욕구이다. [1] 장과 [2] 장에서 살펴본 스마트폰 중독과 SNS등 중독에 걸린 사람 들과의 차이를 본다면 눈에 띄는 신체적인 변화이다. SNS에 중독되거나 이성에게 잘 보이려고 하는 사람들은 오히려 자신의 몸을 가꾸기 위해 비만을 피할 수도 있다. 하지만 서구화되고 자극적인 음식에 중독이 된 사람들은 운동은 아주 멀리하게 되며 단순히 눈앞에 있는 음식에만 초점이 맞춰져 있다. 이 결과는 늘어지는 뱃살과 함께 비만으로 이어진다.

현재 시대에, 식당에서 판매되는 음식과 또 하나의 문제가 더 있다. 바로 '배달 음식'이다. 배달 음식의 자체는 나쁘다고 할 수 없다. 하지만 그 절차와 습관이 문제가 될 수 있다. 자극적이고 고칼로리의 음식을 먹기 위해서 번화가로 나가 식당에 들어가 주문해서 먹을 수도 있지만, 집 안방에서 스마트폰으로 클릭만 몇 번 하면 아주 맛있게 조리된 음식이 우리 집 문 앞으로 온다. 우리는 그 음식의 포장만 뜯어서 바로 먹기만 하면 된다. 그리고 다 먹고 나서 쓰레기만 치우고 다시 안방에 누워서 스마트폰을 본다. 이러한 습관은 도파민 체계를 붕괴시키기 정말 좋은 생활 습관이 된다.

불어나는 몸으로 인해 활동성이 줄어든다. 그러나 식욕은 계속 찾아온다. 다이어트 식단을 먹기에는, 이미 무너진 도파민 체계가 받아들이지 못한다. 고칼로리의 음식만을 원하게 된다. 이 상태가 지속된다면 결과는 불 보듯 뻔하다.

[2-3] 상현이의 물음에 대한 대답

상현이의 질문으로 돌아가 보면 '차이점'이랑 먹는 거, 비만이랑 무슨 상관이라 의문을 가질 수 있다. 하지만 유의미한 관계는 분명히 있다. 여기서도 [1] 장과 같이 '집중력'과 상당한 관계가 있다.

혹시 '혈당 스파이크'라는 단어를 들어본 적이 있는가? 혈당 스파이크는 혈중 당의 수치가 급속도로 상승하고 하강하는 현상을 뜻한다. 쉽게 말하면 혈 중 당의 수치가 적었는데 음식을 섭취하여 수치가 급상승하는 경우이다.

혈당 스파이크는 많은 증상들을 야기하는데, 이 혈당 스파이크와 도파민 보상 체계의 붕괴로 인해 상현이의 질문과 연관되는 것이 바로 '집중력 저하'이다. 실제로 영국 국립보건원에서 혈당 스파이크와 집중력에 대해서 경고한 바 있다.2 우리가 주위에서 쉽게 접하는 음식들은 매우 짜고, 맵고, 자극적이며 디저트와 음료도 매우 단 것이 많다. 우리는 이 음식들을 일상에서 자주 또는 필연적으로 접하게 되며 보다 자주 혈당 스파이크가 일어날 수밖에 없는 환경이다.

또한, 혈당 스파이크만이 아니더라도 다른 이유로도 집중력과 매우 큰 관계가 있다. 운동선수들이 몸에 좋은 것들을 자주 먹으면서 몸 관리한다. 예를 들면 술, 담배를 멀리하고 운동에 도움이 되고 몸에 좋은 음식들을 체계적으로 섭취한다. 하지만 우리들의 식탁은 어떤가? 고칼로리의 음식과 기름지고 자극적인 음식들이 많다. 운동선수들만 체계적으로 식단 관리를 해야 한다고 생각하면 큰 오산이다. 집중력을 저하하는 요인은 많지만, 그중 특정한 영양분과 호르몬이 부족한 경우도 있다. 이때 영양분의 주요 성분은 비타민과 미네랄이며 대부분 음식의 섭취를 통해 이루어지는데 우리가 자주 먹는 음식에 특정 영양분이 없거나 부족할 경우 집중력 저하로 연결된다.

점심시간 이후, 항상 졸려서 수업 시간에 졸다가 혼나는 친구들을 보면 대부분 같은 친구가 아니었던가? 특정 시간만 되면 졸리고 집중력이 떨어져서 책을 보고 공부는 하더라도 집중을 못한 경우가 있지 않은가? 집중력의 저하는 상당히 큰 문제이며, 이는 우리가 살아가는데 필요한 음식에서부터 시작한다.

[4] 극복 및 해결 과정

[4-1] 인간 의지력의 한계

자신이 생각하는 의지력은 생각한 것보다 매우 약하다. 이 글을 읽는 독자들에게 물어본다.

"종류가 어떤 것이든 하거나, 하지 않겠다고 다짐을 하고 쉽게 포기한 적이 몇 번이나 있는가?"

예를 들면, 금연, 과식, 배달 음식 주문, 운동, 다이어트 등등 나의 의지로 다짐하고 포기한 적이 아마 많을 것이라 조심스레 예상한다. 이렇듯 우리의 의지는 생각한 것보다 약하고 그 의지력과 열정에는 명확한 한계가 있다. 그렇다면 외부의 도움을 받을 수 있는데, 많은 사람들이 외부의 도움을 받는 것은 자신의 온전한 능력이 아니라고 생각하거나, 혹은 값 비싼 비용을 보고 놀라서 하지 않거나 시간 낭비라고 생각하는 경향이 있다.

일례로 올해는 반드시 금연하기 위해 국가에서 지원하는 금연 클리닉을 다녀오는 것은 절대 부끄럽거나 숨기고 싶은 사실이 되어서는 안 된다. 오히려 주위 사람들에게 나 이번엔 이렇게 다짐한 사람이라고 용기 내어 말하면 모두가 응원해 줄 것이다. 또 마음 먹고 운동하기 위해 비싼 헬스장 PT를 끊는 것 또한 비싸다고 피해야 할 것이 아니다. 전문가에게 도움을 받는 것이므로 다시 한번 생각해 볼 필요가 있다.

이처럼 본인의 낮은 의지력을 깨닫지 못 하고 계속 실패만 반복하는 것보다, 실패 할 수 없는 환경을 먼저 만들어서 일단 성공을 하는 것이 훨씬 중요하다.

"몰입의 방"이라는 것이 있다.1 어떤 물건을 넣고 시간을 설정하게 되면 무슨 수를 써서라도 그 물건을 절대 못 꺼내게 하는 물건이다. 스마트폰을 넣으면 아주 적합 할 것이다. 스마트폰을 옆에 두고 '절대 안 써야지', '공부하는 동안 안 써야지' 라는 다짐만 하게 된다면 오랜 시간이 걸리거나 성공하기 힘들 수도 있다. 왜냐하면 다짐만 했지 내가 손 뻗으면 스마트폰은 사용이 가능하다. 하지만 이 물품 안에 넣어두면 내가 사용하고 싶어서 도저히 사용이 불가능하다. 의지가 아닌 환경을 변화시킨 것이다.

다이어트, 금연들도 외부의 도움을 받아서 환경을 변화시킬 수 있다. 실제로 금연은 시작 한 후 3일이 굉장히 힘들다고 하는데, 그 3일 동안은 담배를 피고 싶어도 절대 필 수가 없는 곳으로 떠나거나 그런 환경을 일단 만들어 본다면 성공에 가까이 다가갈 수 있을 것이라 본다. 스마트폰에 있는 배달의 민족이나 SNS 어플리케이션을 과감히 삭제 해보아라. 각종 OTT 사이트들을 탈퇴하고 삭제 해보아라. 처음에는 불편할지 몰라도 나의 일상생활에서는 아무 문제가 없을 것이다.

[4-2] 1차원적 욕구와 고차원적 사고

대부분의 1차원적 욕구와 더 빠르고 즉각적인 사고가 가능한 행동을 통해 우리는 중독이 된다. 스마트폰 사용이나 음식 중독, SNS 중독 모두 이런 원리에 의해 중독이 되는데, 우리는 다차원 적이고 고차원 적 사고를 해야 할 필요가 있다.

가장 대표적인 것이 [1]장에서 나왔듯이 "책 읽기"이다. 통계청의 자료에 따르면 현재 우리나라의 독서량과 독서율은 굉장히 낮다. 책을 읽는 것은 높은 집중력과 긴 시간이 요구된다. 글과 글, 문단과 문단 등 내용과 내용의 연결성 등을 파악하기 위해 많은 생각을 하게 된다. 대중교통에서 스마트폰을 보기가 정말 좋다는 생각이 들지만 반대로 책을 보는 것도 더할 나위 없이 좋은 환경이지 않은가?

이렇듯 우리는 해결 할 방법이 많지만, 선뜻 행동으로 옮기기는 어렵다. 다만 한 가지 명심하면 좋을 것이다. 변화하기 위해선 특정 시간을 정하여 이때부터 변화를 시작하는 것이 아닌 "지금 당장"이다.

[5] 에필로그

필자도 많은 사람들처럼 스마트폰만 들여다보고, SNS를 아무 이유 없이 자주 들어가고, 배달 음식을 많이 먹었고 흡연도 했었고(심지어 헤비 스모커였다.), 컴퓨터게임도 좋아했다. 하지만 하나, 둘, 씩 중독에서 벗어났는데 이때 가장 중요하게 작용한 것이 바로 책과 외부 환경이었다.

나는 금연한지 지금은 2년이 넘었다. 금연 시도는 처음에는 계속 실패했다. 그러다 나만의 외부 환경을 설정하기 위해 운동 동호회에 금연 결심을 밝혔다. 실패하면 나의 자존심에 상당한 스크래치가 생기는 것이 싫었기에 이 악물고 성공하려고 했다. 그리고 약 3개월 후 금연에 거의 성공한 것 같다고 말하니 모두가 축하해주었다. 그때 또 다른 성취감의 도파민 분비를 느꼈다. 이런 도파민은 많이 분비가 되어도 좋을 것만 같았다.

또한, 나는 책을 읽기 시작하면서 스마트폰을 일단 멀리해보았다. 처음에는 아무리 멀리하고 싶어도 힘들었고 독서에 집중하기가 너무 힘들었다. 스마트폰을 책상 앞에 두고 책을 읽으면서 스마트폰은 침대 구석에 두었다. 그러나 잠시 후 침대에 누워서 유튜브를 보고 있는 나였다. 나중에는 그 잠시가 10분에서 20분이 되고, 30분이 되면서 점점 늘어가면서 스마트폰을 보지 않고 온전히 책을 보는 시간이 늘어났다. 이에 따라 나의 부족한 집중력을 다시 키울 수가 있었다. 이제는 책을 읽다가 스마트폰의 알람이 울리면 책 읽는 데 방해가 되어서 오히려 짜증이 난다. 그래서 스마트폰도 무음으로 전환했다. 집중력이 눈에 띄게 빠른 시일 내에 좋아지는 것을 직접 체감했다.

그 외에도 작은 성공을 하면서 성공에 대한 도파민 분비를 느꼈다. 1차원 적, 즉각적이고 보다 빠른 보상에 의한 도파민 분비가 아닌, 꾸준하고 길고 다차원적이고 고차원적 사고를 통해 작은 성공으로 인한 보상과 이러한 도파민 분비는 즉각적이고 보다 빠른 도파민 분비를 멀리하고 집중력을 강화 할 수 있게 도와준다.

이 책을 읽는 독자들에게 마지막으로 한 번 더 하고 싶은 말은, 필자보다 뛰어난 독자일 수도 있지만 감히 말씀드린다.

"스마트폰을 멀리하시면 더욱더 많은 행복이 찾아올 것입니다. 스마트폰 대신 책을 보십시오."

미주

[0] 상현이의 질문
1 '자청' 『역행자』

[2] "Sexex"로 알아보는 그 차이점
1 https://www.youtube.com/watch?v=9NgOnaYWLYA,
'[짐승친구들] 인스타 셀기꾼'

[3] "Foods"로 알아보는 그 차이점
1 '요한 하리' 『도둑맞은 집중력』 308p.
2 '요한 하리' 『도둑맞은 집중력』 313p 및 https://www.nhs.uk/
live-well 참조

[4] 극복 및 해결과정
1 https://smartstore.naver.com/the_blab/prod-
ucts/9588839174 '더비랩 THE BLAB'

그들이 잃어버린 것

발행 2024년 5월 10일

지은이 김소영, 김민주, 박선자, 희재, 이서연, 박제현, 문기훈

라이팅리더 양기연

디자인 윤소현

펴낸이 정원우

펴낸곳 글ego

출판등록 2019.06.21 (제2019-67호)

주소 서울시 강남구 강남대로 118길 24 3층

이메일 writing4ego@gmail.com

홈페이지 http://egowriting.com

인스타그램 @egowriting

ISBN 979-11-6666-483-0